Universale Economica Feltrinelli

CRISTINA COMENCINI
MATRIOŠKA

Feltrinelli

© Giangiacomo Feltrinelli Editore Milano
Prima edizione ne "I Narratori" gennaio 2002
Prima edizione nell'"Universale Economica" aprile 2004

ISBN 88-07-81795-0

A mia madre

Se désincarner pour se transformer en autrui.
Et utiliser pour le faire ses os, sa chair et son
sang et les milliers d'images enregistrées par
une matière grise.

[Disincarnarsi per trasformarsi in un altro. E
per farlo, utilizzare le sue ossa, la sua carne, il
suo sangue e le migliaia di immagini registrate
nella sua materia grigia.]

MARGUERITE YOURCENAR, *Essais et mémoires*

Succede a chi opera in questo campo di giudicare i frutti della propria immaginazione a tal
punto necessari e naturali da considerarli realtà
concrete anziché invenzioni del pensiero.

ALBERT EINSTEIN, *Il metodo della fisica teorica*

1.

"Non si avvicini troppo!"

È la sua prima frase, pronunciata con una voce da uomo. È mattina, anche se inoltrata, e lei – mi dicono – è una grande fumatrice.

Mi ha fatto aspettare due ore nel salottino dei souvenir. È la segretaria, la sua cameriera di un tempo, a chiamarlo in quel modo: il salottino dei souvenir della signora.

Ho avuto il tempo di osservare questi famosi ricordi: reperti di viaggi giovanili, trafugati da scavi greci, ricordi di manifestazioni in suo onore, premi, statuette, sirene, muse con rotoli di pergamene dorate dov'è inciso il suo nome. E file di fotografie negli spazi vuoti, tra un ripiano e l'altro, incorniciate nello stesso modo, tutte della signora in compagnia di celebrità.

"Non si avvicini troppo. Sono oggetti senza valore, tranne alcuni. Mi ci è voluta una vita per accumularli e voglio che rimangano interi finché non muoio. E poi sono pieni di polvere. Ho proibito a chiunque di spolverarli. Si sieda."

Dev'essere molto tempo che nessuno prova più a contraddirla.

Un caftano rosso sangue copre come una tenda il corpo di donna più sterminato che io abbia mai visto. Nelle fotografie non sembrava così grassa. Una montagna rossa sormontata da una piccola testa avvolta nel famoso turbante scuro, un viso da bambola teso e incipriato, senza zigomi, con due pomelli rosa disegnati sulle guance. Gli occhi piccoli e scuri si aprono a fatica nel grasso del viso e mi fissano con disgusto. Lo stesso disgusto che vedo sulla bocca carnosa, serrata, tinta di rosso come il caftano. Cerco inutilmente un pezzetto di pelle che non sia nascosto. Mani grasse di bambina, coperte d'anelli, spuntano dalle maniche svasate, si appoggiano composte ai due lati del corpo come piccole ali di un uccello ferito. Si lascia cadere in una poltrona che scricchiola e mi fa segno di sedermi di fronte a lei.

"Faccio questo libro solo per soldi. Guadagno meno di una volta, e la gente che si occupa di me, se non la copro di denari, sparisce all'istante. Mi sono informata su di lei, so che ha fatto altri libri di questo tipo, ma non li ho letti. Le biografie non m'interessano."

Non raccolgo.

"Non so come abbia condotto gli altri incontri. Lei prende appunti o usa un registratore?"

Tiro fuori dalla borsa il più piccolo e silenzioso registratore disponibile sul mercato. In genere lo estraggo alla seconda o terza seduta, quando sono riuscita a creare un clima di fiducia reciproca.

"Sì, lo uso, ma se la disturba..."

"Non me ne importa niente. Quando i nostri incontri saranno finiti, la lascerò libera di scrivere e poi rileggerò e deciderò se pubblicare. Gli incontri avverranno quando io ne avrò la possibilità. La mia segretaria le telefonerà con un giorno di anticipo. Devo chiederle di tenersi libera. Per questo le ho ceduto una percentuale doppia di quella che prende abitualmente."

"Non era necessario, non scrivo mai due libri allo stesso tempo."

Mi fissa in silenzio mentre sistemo il registratore su un tavolino basso accanto alla poltrona che la contiene tutta. Mi siedo di nuovo. Sostengo il suo sguardo con una vergogna improvvisa, come se fossi lo specchio impietoso che le rinvia la sua immagine deforme. Poi, fortunatamente, le fessure degli occhi imprigionate nel grasso si chiudono. Si accende una sigaretta e comincia a parlare con una voce sottile e posata, all'improvviso sembra una bambina bene educata.

"Nelle storie si comincia sempre dall'inizio, invece è un errore. Bisogna conoscere prima il punto di arrivo e poi scorticare progressivamente gli strati di pelle di cui è fatta una vita. Il suo è un lavoro insensato, dovrebbe scrivere solo biografie dei morti. Anche se ogni essere vivente è fatto di morti, uno incastrato nell'altro fino al più vecchio, quello che è ancora in vita. In ogni caso, non si illuda, ho la linea della vita lunga nonostante il grasso e le sigarette.

"Sono così come mi vede da dieci anni. La vita dei grassi ha molte complicazioni ma anche i suoi lati positivi. Amo mangiare senza ritegno, mi piaceva fare tutto senza ritegno. Ma più del cibo amavo l'amore, così ho digiunato per anni fingendo di non soffrirne. C'era un ristorante al centro di Roma dove andavamo a cena tutte le sere con Malù. Era brutto, come quasi tutti i ristoranti romani, ma il cibo era meraviglioso. Gli odori dei fritti, delle salse, li sento ancora, avevo anche scritto una poesia. Luigi, il proprietario, l'aveva incorniciata e appesa al muro sopra il nostro tavolo. *Fiori di zucca scioglietevi in bocca / acciughe, alicette fatate la mia fame saziate*, poi non ricordo il resto.

"Mi accontentavo di odorare i cibi mentre la mia amica mangiava di tutto con calma, senza affrettarsi. Era bella, magra e mangiava. Per tutta la vita ho cucinato, guardato gli amici che si rimpinzavano di cibo a casa mia mentre io spizzicavo qua e là. Poi ho cominciato a ingrassare lo stesso. Avere qualche chilo in più succede a molti, dopo una certa età. Meglio essere monumentale. Così ho riguadagnato il cibo perduto. D'altra parte nessuno è disposto ad amare una vecchia se non per soldi, così non credo di avere perso granché."

Mentre parla, il suo corpo avvolto nel caftano rosso freme, sembra alleggerirsi e svolazzare tra i ricordi e le fotografie. Chi è questa donna che sta per raccontarmi la sua vita? Ho letto di lei, mi sono documentata, ma ora vorrei spegnere il registratore e andarmene.

Mi respingono l'esibizionismo senile, l'assenza di pudore, l'autoritarismo. La sua schiettezza mi sembra più finta della menzogna. Un'estranea di cui non potrò scrivere mai.

La signora non mi guarda, pesca nella memoria, cerca il filo del suo racconto.

"Antonia, che brutto nome. Mi piaceva solo come lo pronunciavano i miei amici americani, con la o chiusa. C'erano un sacco di americani a Roma negli anni della mia giovinezza. Hanno comprato molte mie opere giovanili, schifezze. Ora valgono parecchio; tutto il mio lavoro si è rivalutato da quando si pensa che sto per morire.

"In questi ultimi dieci anni non ho realizzato quasi nulla. Qualche piccola scultura, schizzi per opere che non eseguirò mai. Non ho la forza di stare in piedi. La mattina mi sveglio dentro il mio corpo con la stessa frenesia di quando ero giovane. Ma poi il pensiero va ai suoi limiti fisici e torna indietro vinto.

"Cosa faccio del mio tempo? Evito di ricordare, con i ricordi vengono fuori anche i desideri. A settantacinque anni, sento ancora con la stessa intensità degli anni pieni. Saprei lavorare, manipolare, modellare, accarezzare, ridere, ballare come e più di prima. Ma non c'è scappatoia, è come essere in un polmone d'acciaio. Si muovono a fatica le pupille, le dita, le sopracciglia. Ho pensato che il valore di questi ultimi anni è proprio la consapevolezza che si ha di sé. Mi dico, non la devi allontanare, devi cacciare il torpore, continuare finché puoi a sentire tutto con chiarezza. Ho anche smesso di bere. Cosa faccio del mio tempo? Passo ore a immaginare nel dettaglio cosa avrei fatto oggi, venticinque anni fa. Vuole un esempio: cosa farei in questa giornata di metà settembre?

"Il sole di Roma dalla finestra del mio studio è ancora quello estivo, ma se si esce fa freddo e i limiti delle cose sono taglienti come in una bella mattina d'inverno. Devo finire un pezzo per la mostra, ma non ne ho voglia. Decido di uscire. Passo davanti alla stanza dove Giorgio dorme ancora, come ogni mattina. Mi piace guardarlo mentre dorme. Se si svegliasse mi odierebbe, dice che lo spio per poterlo ridurre a statuina. Non sa che rabbrividisco a guardare le sue gambe sottili ancora brune per il sole dell'isola, le braccia lunghe che stringono il cuscino, il viso da ragazzo abbandonato al sonno. E se poi riuscissi a fare del suo corpo una perfetta statuina senza testa, potrei anche lasciarlo. È molto più giovane di me. Mi sono innamorata per prima, gli ho fatto la corte, l'ho avuto. Ce ne sono stati altri, ma nessuno bello come lui. Somiglia al pescatore dell'affresco di Santorini, ho pensato quando l'ho visto la prima volta al mare. Un ragazzo dal corpo sottile e abbronzato, gli occhi neri e allungati. Era radioso, studiava all'accademia, mi ammirava. Sarà lui a lasciarmi, penso come ogni mattina, distogliendo lo sguardo. E sono troppo vecchia per avere figli."

"Lei ha figli?" mi chiede all'improvviso.

"Due, ancora piccoli," balbetto stupita per l'interruzione. Le piace spiazzarmi, interrompersi, dare inizio e fine ai nostri incontri.

"Ah," mormora chiudendo gli occhi di nuovo.

"Ma questa mattina non voglio farmi rattristare dalla certezza che sarà lui a lasciarmi. Mi infilo il cappotto rosso che a Giorgio piace tanto, esco. La mia non è una casa, ma uno studio nella Villa Strohl-Fern. Ci abito da dieci anni, dalla mia prima personale. Molti amici se ne sono andati da quando si è insediata, accanto agli studi degli artisti, la scuola francese. E quelli rimasti hanno dichiarato guerra alla scuola. Ho firmato anch'io perché se ne vadano, ma senza troppa convinzione. Non sopporto i visi dei ragazzini che mi spiano mentre lavoro dietro i vetri appannati dello studio. Li caccio via facendo la strega e agitando in aria il trapano. 'Oh, oh, che bel bambino tenero da mangiare. Vieni, vieni che ti cucio per bene.' Scappano via come lepri. Ma poi tornano attratti dalla mia camicia macchiata, dai capelli che mi cadono in ciocche sul viso sporco di polvere di bronzo, dal torso di uomo a cui sto trapanando un ombelico smisurato.

"Cammino nel vialetto accanto al bosco di bambù. Sento le loro voci dentro le classi. Ormai conosco gli orari delle ricreazioni, li evito. Devo riconoscere che è un bel posto per andare a scuola. Un luogo umido, la vegetazione esotica cresce intricata ai lati dei vialetti, intorno alle nostre case minuscole con le porte di legno colorate e le finestre da casette di bambole. Dovrò andarmene presto di qui; l'umidità distrugge le articolazioni. È la mia età matura questa, in tutti i sensi.

"I miei lavori non mi hanno reso ancora ricca e questo mi urta. Non posso comprarmi una casa vera, né andare a mangiare nei migliori ristoranti né viaggiare quanto vorrei. Ora – a settantacinque anni – so che quando succederà, sarà segno che le mie opere non valgono più molto. Il meglio di me lo davo allora. I pezzi vengono fuori da soli; non mi pongo domande. Ho smesso di discutere con i colleghi, di partecipare alle riunioni sullo scopo dell'arte, sulle forme dell'arte moderna. So cosa fare con la materia, questo mi basta. Le mani lo sanno prima della testa. Sono tornata al bronzo dopo avere provato il marmo, la pietra, la terracotta, il legno. La mattina, prima di iniziare il lavoro, bevo il caffè e penso a una maternità di Moore che ho visto da ragazza a Londra, al *kouros* con i lunghi capelli rosa del museo di Atene. Non mi serve altro.

"Sono uscita dalla Villa Strohl-Fern e come ogni mattina mi avvio verso il giardino del lago che è poco distante. Di Villa Borghese conosco ogni costruzione, ogni cespuglio; gli odori di terra smossa, di legna bruciata, di cacca di cane. Conosco i personaggi che la popolano nelle ore morte. C'è un uomo con i capelli lunghi, bianchi e incolti, che passeggia tutte le mattine con lo stesso libro misterioso in mano e lo legge ad alta voce senza mai fermarsi. E una ragazza con la faccia storta e un cerchietto da bambina che porta a spasso il cane ed è portata a spasso dalla madre, l'unica dei tre a sapere dove andare. Figure lacerate, come le mie sculture. La solitudine, lo sbando non mi hanno mai fatto paura.

"Ma in questa passeggiata di tanti anni fa, la stessa di tutte le mattine, mi rendo conto all'improvviso che ho paura di diventare come loro; che non ho voglia di passare la vita a fare pezzi per mostre e che ormai sono troppo vecchia per avere figli. E mi siedo a piangere sulla panchina sbilenca dove di solito fumo e attacco discorso con uno dei matti di passaggio."

Antonia si accende un'altra sigaretta, apre gli occhi e mi guarda.

"Si è documentata su di me?"

"Abbastanza."

"Avanti, mi dica."

"È nata a Napoli nel 1925 da Pina, maestra di scuola, e da Giuseppe, commerciante di abiti sacri. Ha tre fratelli più piccoli. Molto portata per gli studi, finisce la scuola a diciassette anni, e si iscrive all'accademia di Belle Arti di Roma contro il volere della famiglia. Durante la guerra assiste i feriti in un ospedale di Roma. Di notte, mentre dormono, li prende a modello per la prima serie di busti stesi. A vent'anni si sposa con un compagno di corso da cui si separa dopo sei mesi. Il matrimonio è annullato per intercessione del padre, legato agli ambienti vaticani. Dopo la guerra prende a viaggiare con i soldi che le invia di nascosto la madre. Italia, Inghilterra, Francia e Mediterraneo, soprattutto la Grecia. Vince una borsa di studio che le permette di mantenersi senza pesare sulla famiglia..."

"Va bene, basta così. Non ho dimestichezza con le date, sono stata sempre distratta, vaga e disordinata. Se dico qualche bugia, mi corregga."

"Non ho mai immaginato la mia vita senza figli. Ma quella mattina, seduta sulla panchina, per la prima volta so che sarà così. Da giovane sono fuggita da casa, ho viaggiato, mi sono innamorata, ho lavorato, sempre pensando che dopo, un giorno, avrei avuto un figlio. E ora tutta la seconda parte della mia vita si libera di quell'idea all'improvviso. Non voglio essere una donna sterile, per questo piango.

"Rivedo quella mattina, il mio pianto, sento gli odori di Villa Borghese. Attenzione, non era un ricordo. Ci sono arrivata pensando a cosa avrei fatto oggi, venticinque anni fa. Ma anche questa mattina i ricordi si sono infilati a tradimento e so di nuovo di essere incatenata alla storia che lei sta cercando di raccontare. Non ho la possibilità di divagare ma solo di ripeterla un numero infinito di volte, anche quando cerco di sfuggirle.

"Con questi pensieri, o altri simili, si fa l'ora di pranzo. Non mangio volentieri da sola. La mia segretaria ha il compito di farmi trovare tutti i giorni un amico. So che fanno a gara per evitare questi inviti. Sono tutti più giovani di me, li ho conosciuti alle mie mostre; alcuni mi hanno scritto delle lettere prima di essere ricevuti. Sono incantati dalla mia fama. Davide più degli altri. Dieci anni fa, per qualche tempo, è venuto a letto con me. Ora è il depositario di tutte le mie opere. Dovrà parlargli, se no si offende."

Annuisco. I nostri sguardi si incrociano per un attimo. Sto pensando con disgusto a quegli amplessi da vecchia e sento che lei lo intuisce: sorride appena, muove solo un angolo della bocca.

"Sì, non mi piace pranzare da sola, ma mangio in silenzio, lentamente, un piatto dietro l'altro, bevo mezzo bicchiere di vino rosso. Il caffè lo lascio per il risveglio pomeridiano. E poi mi alzo a fatica dalla sedia, saluto il mio ospite annoiato. Qualche volta, per rallegrarlo, prometto che gli lascerò in eredità uno dei miei pezzi migliori, gli dico di andare nello studio a sceglierlo.

"Mi stendo sul letto e mi pare di essere un elefante in scatola. Chiudo gli occhi. A poco a poco torno alla giornata scelta, la disincaglio dal ricordo. Sì, di nuovo, finalmente libera dal presente."

"È da un'ora che sto sulla panchina a fumare. Voglio tornare a casa, vedere Giorgio. Il primo bacio del mattino è il più caldo. Qualche volta facciamo l'amore, forse capiterà anche oggi. Oppure rifarò colazione con lui. E dopo limerò l'ombelico del busto che terrorizza i bambini della scuola francese. Che piacere lavorare sui dettagli quando l'opera è già impostata!

"Saluto la ragazza dalla faccia storta seduta di fronte a me con in braccio il suo cane. Cammino, che dico, volo verso casa. Sento i muscoli tesi; il sangue circola e pulsa al centro delle gambe. So di non avere un volto regolare ma il mio corpo mi piace. Il seno è largo e ho gambe lunghe e muscolose. Giorgio le accarezza e le guarda a lungo senza cedere al mio desiderio. Mentre corro mi pare che il vento settembrino le sfiori sotto il cappotto con grazia e senza fretta, come fa lui. Chi gli ha insegnato quei gesti trattenuti e misteriosi ai quali non resisto? Me lo chiedo riattraversando il bosco di bambù. I bambini sciamano ovunque, saltano, calciano la terra, la sollevano in nuvole di polvere, urlano. Alcuni si fermano a guardarmi mentre una vampata di gelosia mi leva il respiro. Perché non sono capace di misura? Perché mi do senza ritegno a ogni amore, avventura, lavoro, sempre come se fosse il primo e l'ultimo? Ma non posso pensare a questo ora, devo raggiungerlo. Voglio quei gesti solo per me. Forse dorme ancora.

"Una bambina è ferma sulla stradina del mio studio. I capelli castani legati a coda di cavallo; il viso perfetto; le gambe sottili. Mi guarda seria come per avvertirmi di qualcosa. Lo studio è così silenzioso. Non c'è odore di caffè né lo scroscio della doccia che scorre. Una finestra aperta ha gelato ogni angolo; anche il busto è inanimato, come il suo corpo, immobile come l'ho lasciato. Non ricordarlo così, almeno una volta, quando tento di averlo accanto di nuovo!"

Antonia riapre gli occhi. La cenere della sigaretta ormai spenta è caduta sul tappeto. Con le grasse mani inanellate schiaccia il mozzicone nel posacenere.

"Lo sapeva, no?"

"Sì, è morto di droga nel 1975."

"Non ho mai saputo gli anni degli avvenimenti. Non ho memoria volontaria."

"Per molti artisti è così."

"Già, lei li conosce bene. Ha bisogno delle loro tragedie per poter scrivere."

"Ma non godo dei loro vantaggi."

"Per esempio?"

"La felicità dell'intuizione. Il momento in cui ci si dimentica di se stessi e si fanno associazioni tanto veloci da non averne la consapevolezza."

"Come fa a saperlo?"

Arrossisco.

"Guardo i miei bambini quando giocano. Ho pensato spesso che a loro succede la stessa cosa; ha mai visto giocare dei bambini?"

"Non ne ho visti molti nella mia vita."

"E i figli dei suoi fratelli?"

"Da quando è morta mia madre, non ho più incontrato nessuno della mia famiglia. Allora, cosa dicono i bambini mentre giocano?"

"*Facciamo che tu eri in pericolo e io ti salvavo, sparavo al bandito, lo strozzavo e lo trasportavamo vicino al fiume...* E corrono, sparano, si gettano a terra. Giocando non usano mai il presente ma l'imperfetto. Associano i dati della loro esperienza così rapidamente che non riescono a cambiare il tempo del verbo dal passato al presente."

Antonia mi fissa con lo stesso disgusto di quando è entrata nella stanza. Poi guarda l'ora, si accende un'altra sigaretta.

"A lei piace molto osservare gli altri."

"Dunque vivevamo insieme da cinque anni, lei è la mia biografa, mi devo fidare. Per le donne forse è più semplice sopportare il successo del proprio compagno. Giorgio non aveva mai detto nulla della sofferenza di starmi accanto. E io non avevo mai pensato che fosse infelice. Non è importante il successo, diceva. Importante è lavorare. La felicità dell'intuizione, come dice lei. Ma lavorava sempre meno. La notte andavamo in giro per bar. E di mattina lui dormiva fino all'ora di pranzo. Si alzava dal letto e brancolava nel mio studio: *da quanto lavori?* S'infuriava per la mia resistenza al sonno. Gli facevo il caffè e qualche volta, dopo colazione, ci rimettevamo a letto. Tutti i soldi che guadagnavo erano in comune. Il fatto che li avessi guadagnati io a lui era indifferente. Me li chiedeva e io glieli davo. A un certo punto iniziò a frequentare altri suoi coetanei, tutti presi dalla politica, si trovava bene con loro. Aveva smesso di lavorare, andava alle riunioni, alle manifestazioni. Nessuno di loro è venuto a salutarmi al funerale. Forse mi consideravano una vecchia reazionaria, pensavano che non avessi fatto nulla per salvarlo. In questo avevano ragione, non avevo capito nulla di lui, né la droga né la sua mancanza di talento né che gli piacessero più gli uomini delle donne."

Mi fissa un istante.

"Se fossi morta andrebbe in giro a raccogliere informazioni, sarebbe libera di raccontare tutti i retroscena della mia vita. I miei fratelli sarebbero felici di aiutarla."

"M'interessa di più sentirla raccontare da lei."

"Se mi guardo allo specchio, non mi riconosco. È una banalità, capita a ogni vecchio. Ma nel mio caso c'è una differenza. Io ho veramente cambiato forma. Ero una donna alta, muscolosa. Scolpire è un lavoro fisico. Bisogna stare ore in piedi o in ginocchio, con gli strumenti in mano, lavorare materie dure, respirare polvere. Ero la prima al corso di ginnastica a scuola. Mi piaceva camminare, correre. D'estate nuotavo con i miei fratelli da una baia all'altra della costiera. Quando ero stanca, con le braccia mi fabbricavano un seggio nell'acqua, come nella favola dei fratelli cigni che leggevamo insieme la sera. E dove è andata quella donna? A volte mi pare di averla ingoiata.

"Qualche volta, quando non mi riesce di pensare alla giornata che vorrei passare, vado nello studio, mi stendo sul divano, chiudo gli occhi e immagino di lavorare ancora.

"Da tanto non scolpisco più a tuttotondo. Mi pare così pretenzioso plasmare completamente la materia, asservirla. I corpi non m'impressionano più come una volta. Forse è che non ne vedo uno bello da tanto tempo. M'interessano i fossili."

Antonia scoppia a ridere all'improvviso, un riso rauco che si trasforma in tosse e poi in rantoli. Ride tra un rantolo e l'altro; la faccia diventa rossa come il caftano. Mi fa segno di non preoccuparmi.

Una pantera socchiude la porta del salottino con la zampa, le salta in grembo, si sistema sul ventre largo, oscilla sotto i colpi delle risate come una nave in tempesta. Il gatto nero sul fuoco rosso del caftano.

"Che bello ridere! Altro che felicità dell'intuizione creativa. Solo ridendo ci si dimentica di sé. Chissà quale teoria artistica le avrei esposto su questo mio gusto tardivo per i fossili. La verità è che io mi ci sento in pieno, un fossile. Ne ho una collezione, gliela farò vedere la prossima volta. Devo andare, hanno mandato il gatto ad avvisarmi che il pranzo è pronto."

Si alza a fatica ma so che detesta essere aiutata. Spengo il registratore, la guardo dirigersi verso la porta seguita dal gatto. Si ferma un secondo di spalle prima di voltarsi. In un lampo accendo di nuovo il registratore.

"Talvolta mi chiedo cosa direbbe Giorgio se mi vedesse ora. E poi penso che dovevo apparirgli già così.

"Quella bambina che ho incontrato sulla strada, subito prima di scoprirlo morto, è tornata anche nei giorni successivi. I suoi compagni avevano paura di avvicinarsi allo studio. Mi avevano visto segare parti di un corpo, così ero io l'assassina per loro. Lei sola mi spiava dalla finestra mentre finivo il torso d'uomo per la mostra. Passava la ricreazione muta a guardarmi lavorare. Da qualche tempo mi è tornata in mente, ho cominciato a sognarla.

"Sì, dopo la morte di Giorgio, ho lavorato tutti i giorni dalla mattina alla sera e ho avuto il successo. In quel periodo ho veramente lavorato tanto. Lo può spegnere, ora."

2

Fiori di zucca scioglietevi in bocca
acciughe, alicette fatate la mia fame saziate
Ziti, farfalle, fettucce, conchiglie
leggere in gola come meraviglie
Agnolotti, cappelletti, tortellini
vi tengo dentro maschietti birichini
E dopo polpa, girello, braciole e zampetti
e bignè babà brioche e cornetti
Luigi chiede: un caffè, un amaro?
E noi basta, pietà, un riparo!

Ragiono sul primo incontro, seduta al suo tavolo nel ristorante di un tempo. Un uomo sui quaranta, immagino il figlio del vecchio proprietario Luigi, mi ha accompagnato al tavolo di Antonia. È l'angolo famoso del locale. Appesi al muro, intorno alle strofe culinarie, ci sono schizzi, forse suoi, o di qualche amico pittore, e altre dediche a Luigi e al suo cibo. La firma di Antonia, in fondo alla poesia, mi appare incredibilmente diversa da quella del contratto con l'editore. Questa è uno storto svolazzo verso l'alto di lettere grandi e rotonde, la sagoma maldestra di un uccello che spicca il volo. La firma sul contratto è invece striminzita, inclinata sul rigo.

Non utilizzo mai interviste incrociate con amici e conoscenti nelle biografie. Le ho detto la verità: voglio che sia lei a ripercorrere la sua vita. La cesura è la morte di Giorgio. Potrei già ordinare il materiale della nostra conversazione in prima e dopo la sua morte. Questo ristorante, le alici che si sciolgono ora anche nella mia bocca, le righe e gli schizzi su carta vengono prima. Lei mi pilota verso questa consapevolezza anche se non la sento attendibile. Vedo il corpo del giovane pittore morto; le notti insieme in giro a bere; i pomeriggi segreti di lui e il lavoro di lei. Con quanta determinazione lo ha liquidato: non aveva talento. Mi fa pena quel giovane uomo che le viveva vicino. La politica, le riunioni, forse erano modi di sottrarsi a lei, alla sua volontà. Quando si sono incontrati, Antonia aveva quarantacinque anni, lui ventotto.

Le quattro! Infilo il blocco degli appunti in borsa, pago il conto alla cassa, esco per strada sotto la pioggia in cerca di un taxi. Tutta la vita con la paura di dimenticare i bambini a scuola; questa volta quasi ci riesco.

I primi giorni di un nuovo lavoro mi sembra di dimenticare anche i loro nomi. Li vesto meccanicamente la mattina e li svesto la sera, li lavo e li nutro con la stessa lontananza. Sento le loro voci: mi chiedono, mi raccontano, cerco di fare attenzione, di non essere impreparata alle domande. Tra loro due profumati e insonnoliti leggo il libro della buonanotte senza sapere che storia racconto; le parole vengono fuori da sole mentre la mente vaga in cerca dell'altra storia che devo narrare.

Con mio marito succede lo stesso; l'amore non è con me che lo fa in quei giorni. Non parlo volentieri di Antonia in casa. Per loro non è che un'intrusa, un'ospite sgradita. Non vedono l'ora che se ne vada.

Hanno ragione, penso ora che i bambini giocano nella vasca. E subito mi viene in mente la solitudine finale di Giorgio. Riusciva lui a distoglierla dal suo lavoro? Non credo. Lei decideva quando desiderarlo, quando guardarlo. E lui certo poi l'ha fatta soffrire in altro modo. Adesso, mentre butto la pastina nel brodo, non so perché mi pare evidente che lei sapesse tutto fin dall'inizio. Un giovane uomo in cerca di altri uomini incontra l'artista conosciuta, s'innamora, di lei e della sua bravura. In che proporzioni è difficile sapere. A lui pare nei primi anni di godere del suo talento e di amarla con la durezza che lei ha cercato finora. Sono giovani, faranno un bambino. Lui ha sempre pensato di vivere senza una donna, l'idea di un figlio lo commuove. Quanto dura l'armonia? Ogni giorno perdono un granello: lui la vede capace, avara di consigli e piegata a lui la notte. E la fa soffrire, con altri compagni. E lei, perché ha scelto un uomo che non desidera le donne? La bellezza del corpo maschile di cui cerca le forme nel suo lavoro, ma anche il disprezzo per se stessa. Una donna misogina. Questa verità sento all'improvviso, un odio per se stessa, per le proprie fattezze, per la propria anima.

Non ho voglia di questo lavoro. La sua carne, la casa, il fumo, il gatto, tutto mi tira dentro una materia viscida. Antonia sembra la strega del libro di favole che leggerò tra poco ai bambini. Finalmente li sento; chiamano e urlano chissà da quanto.

"L'acqua è gelata, mamma, vogliamo uscire!"

Li tiro fuori uno dopo l'altro e li avvolgo negli accappatoi. Facciamo il gioco dei prigionieri. Li friziono e li bacio nell'incavo del collo, dove i capelli si sollevano a mazzetti. Tiro fuori del cassetto i pigiami puliti, glieli infilo mentre raccontano e mi mostrano giochi gocciolanti.

Sono salva, ho loro. Io sì, lei no. Posso raccontare la sua vita senza rischio. Ho un marito che tornerà tra poco, mi bacerà sulla bocca come da fidanzati e mi verserà da bere perché il nostro non sembri un matrimonio come tanti altri. E questa sera, forse, senza obblighi, il bacio sarà diverso, richiamerà qualcosa di molto antico tra noi, mai toccato dalle parole.

Ho aspettato più di una settimana la telefonata. Ogni giorno annoto frasi su di lei prese da libri, cataloghi, pezzi critici. Li rileggo per prepararmi all'incontro di domani.

Quella donna, la segretaria, se non fosse che sono già impegnata a conoscere la padrona, mi piacerebbe farne il ritratto. Quale sentimento sorregge l'abnegazione e il servilismo? L'amore, l'odio? L'amore è improbabile; neanche l'odio perché con gli anni si stempera. Forse è più l'illusione di essere segretamente indispensabile.

"La signora la riceverà domani, nel suo studio, alle undici e trentacinque."

Età indefinibile. La cornetta del telefono appoggiata all'orecchio bianco da suora. I capelli grigi tirati indietro, legati in una coda minuscola, un ricciolo perfettamente tondo, con il buco al centro. Lo sguardo liquido non si posa su niente, solo sulla maniglia della porta richiusa silenziosamente. Passo felpato in allontanamento.

I critici hanno suddiviso l'attività di Antonia in quattro periodi: le grandi figure stese del dopoguerra; un breve abbandono del figurativo all'epoca dei viaggi in America; i frammenti di corpi durante la vita con Giorgio e dopo la sua morte; le figurine di gesso e terracotta dell'ultimo periodo, bambine intente a un lavoro misterioso.

Il mistero che circonda questi ultimi lavori ne ha fatto anche la fortuna. Non se ne trovano più sul mercato, compaiono qualche volta nelle fotografie d'interni americani ricercati e vuoti. Cosa facciano queste bambine è la domanda che le rivolgono in tutte le interviste. E lei risponde sempre la stessa cosa: "niente". Sono pochi i mutamenti di grandezza e di espressione tra una figurina e l'altra. Un'ossessione degli ultimi anni.

Guardo le riproduzioni e cerco come tutti di indovinare cos'è quel movimento delle mani, qual è l'oggetto invisibile che le dita strette tengono all'altezza della bocca. Non uno strumento musicale perché la posizione delle mani non corrisponde a nessuno strumento a fiato. Scruto lo sguardo assorto delle bambine sul lavoro che tiene occupate le mani. Uno sguardo da un altro mondo.

Chiudo il catalogo; un'accelerazione del cuore mi blocca il respiro per una frazione di secondo. Dove ho già visto quell'espressione lunare? Mi vengono in mente un cortile chiuso da alti palazzi, tanto alti come a Roma non ne esistono, un rumore intermittente di suole di scarpe, l'odore d'asfalto bagnato misto a quello degli aghi di pino. Un odore preciso, ma nessun ricordo.

L'infanzia di Antonia è riassunta per il momento in tre fotografie pubblicate su un catalogo. La più antica è un ritratto della famiglia al completo. Tutti già nati, lei e i tre fratelli. Antonia ha sei anni; i due fratelli più grandi quattro e due; l'ultimo è in braccio alla madre. L'anno, il 1931, è scritto nell'angolo della fotografia. Forse sono davanti alla casa di Napoli: si intuisce uno squarcio di mare in lontananza, oltre il muretto al quale sono appoggiati. È estate, la madre Pina porta un vestito chiaro, i guanti e un cappello di paglia sui capelli scuri legati all'indietro. È magra e giovanile nonostante i quattro figli. Il viso lungo, lo sguardo posato sui bambini in fila tra lei e il marito. Con una lente d'ingrandimento esamino il suo volto di profilo; le braccia sottili, le mani chiuse sulle fasce dell'ultimo nato. I quattro figli, la sua fierezza. Giuseppe, il marito, in disparte quanto lo consente l'inquadratura (il fotografo: "Si accosti, si accosti se no non

28

entrate tutti!"; Pina: "Giuseppe, vieni più vicino!"), sorride in macchina con un'ironia triste. Ha un bel viso da seduttore ma poca statura; la moglie lo supera di almeno cinque centimetri. E ora i fratelli e Antonia: la prima cosa che salta agli occhi è la bellezza dei due maschi, bruni, occhi chiari, lineamenti regolari, sorridenti. E Antonia accanto alla madre, scontrosa, le labbra carnose appena sollevate agli angoli nel sorriso richiesto dal fotografo, i capelli scuri tagliati da frate, gli occhi strizzati per il sole, o forse per il fastidio della situazione.

Nelle altre due foto compaiono solo i bambini, al mare e poi un po' più grandi nel giardino di una villa. In posa ancora, i tre fratelli intorno a lei, come viene naturale sistemarli davanti all'obiettivo. Belli e perfetti nei loro costumi da bagno, nei vestiti da festa, con i capelli impomatati gettati all'indietro, i sorrisi trionfanti, da giovani ragazzi del Sud. Tra loro una bambina goffa.

Eppure nell'ultima fotografia, quella in giardino, lo sguardo sfuggente della bambina, *tanto meno bella dei fratelli* (quante volte l'avrà ormai udito mormorare), si è trasformato. Antonia fissa l'obiettivo con strafottenza e disincanto, come fosse già finita l'illusione di una sorte comune.

La rottura con la famiglia è di molti anni dopo. Prima quella col padre, all'epoca della scelta della scultura e del trasferimento a Roma, mai definitiva per via delle intercessioni periodiche della madre; e molti anni più tardi, all'epoca della morte di Pina, quella con i fratelli, ancora più dolorosa. Nei due casi, viva o morta, arbitro di tutte le controversie è la madre.

Come sempre, penso avviandomi verso l'ingresso della casa, in un palazzo settecentesco, limitrofo alla Villa Strohl-Fern degli inizi. Supero un grande cancello di ferro battuto custodito da un portiere assorto nelle parole incrociate. Le alte finestre della casa affacciano sugli ultimi studi rimasti e, più in là, sul verde a macchia di Villa Borghese.

3

"Non c'è verso di fare capire a tua madre che sei diversa da lei. S'immagini quando si è la sola ragazza in famiglia, la madre è maestra e la città dove avviene questa tragicommedia è Napoli. A scuola tutto mi riusciva facile. I miei fratelli invece erano belli e somari, soprattutto Tonino, il più piccolo.

"Mia madre è seduta in cucina, una stanza così grande da essere sempre gelata, anche d'estate: *questa cucina è fredda*, dice mia nonna strofinandosi le mani con le nocche deformate dall'artrosi. Dalla morte del marito abita con noi e cerca di rendersi utile, anche se mia madre non glielo permette. *Tua madre vuole educare i bambini, dille che non lo permetto. Ma no, vuole solo rendersi utile.* Questo scambio di battute tra i miei genitori avviene ogni volta che nonna va a passare il giovedì dall'altro figlio che abita fuori città.

"In cucina mia madre Pina fa i compiti con i figli, urla e assesta schiaffi sulle teste poco ispirate dei miei fratelli. Sotto il tavolo loro giocano con un foglio di carta appallottolato. Chi non l'intercetta e si fa scoprire verrà preso a cazzotti dagli altri due più tardi, nella stanza da letto comune.

"Sono seduta all'angolo opposto del tavolo, perché io non ho bisogno di aiuto. Le cose che chiedono a scuola mi sembrano così semplici, chiare, anche noiose. Mia nonna gira la minestra, mi guarda di tanto in tanto e sorride. Non ha più molti denti in bocca, ma la dentiera ancora non la vuole mettere. La notte dormiamo insieme e ci raccontiamo sogni proibiti. Ogni sera, prima di addormentarci, mi fa baciare la croce: *giura sulla croce santa che non dirai niente*, e giura a sua volta di non rivelare i miei segreti baciando il Cristo sulla bocca, come sognava di fare col suo perduto amore di cui mi ha appena narrato.

"La cena con mio padre. Pina gli racconta le mascalzonate dei figli e se la piglia anche con lui che non reagisce e non ha polso né autorità. Guardo mio padre, gli assomiglio; vedo le stesse labbra che stringono la sigaretta; gli occhi neri si abbassano davanti a quelli furenti di mia madre. Nel negozio di abiti sacri comanda senza cedimenti; seduce preti e monache e vende loro ciò che vuole. Qui a casa non trova argomenti, le labbra sono immobili, solo a tratti si schiudono per la sigaretta e la serran con sofferenza. Nonna fissa mia madre con strafottenza. I fratelli mangiano, sordi a ogni disturbo, e si prendono a calci sotto il tavolo. Solo io e mio padre siamo atterriti dalla sua rabbia, dal suo dolore di cui non comprendiamo bene l'origine. Qual è il potere che mia madre esercita su noi due?

"Ogni giorno ne scrutiamo l'umore, notiamo sempre il vestito, il colore dei guanti, il cappello. La voce, se è triste o allegra. Insieme andiamo a comprarle il regalo di compleanno e scopriamo di sapere tutti e due quanti fazzoletti ha nel cassetto, il colore del nuovo rossetto, la canzone preferita. Discutiamo sul vero colore degli occhi, celesti o verdi secondo il vestito. È la nostra innamorata comune, ma lei ama i miei fratelli.

"Nella nostra casa di via Chiaia, buia come sono le case della città del sole, ogni giorno si compiono i gesti dell'amore non ricambiato.

"Dopo cena, a letto, l'aspetto mentre i fratelli lottano

nella stanza accanto. Sogno il suo arrivo, conto i secondi, i minuti, eccola, puntuale come tutte le sere: mia madre per me sola.

Dormi, Antonia? Solo a te posso raccontare quanto soffro, solo a te. Tu sei uguale a me. Capisci tutto, non hai bisogno di niente. Come faccio con quei tre, come faccio? E tuo padre, inetto, incapace, mi toglie l'anima. Maledetta me quando mi sono innamorata di lui. Antonia, Antonia, non ti sposare mai. Sei fortunata, non sei nata bella, ma sei intelligente, potrai fare quello che vuoi! Dammi un bacio, figlia mia e dormi bene.

"Cerco di trattenerla accanto a me; il suo viso è deformato dalla vicinanza. Non riesco a coglierlo tutto intero. Velocemente inquadro un occhio chiaro, trasparente, velato da una lacrima immobile, il naso piccolo e fremente di rabbia contro mio padre, la bocca che si muove veloce. Dio fai che non si posi sulla mia guancia perché sarà in modo rapido, distratto, e poi andrà via. Questi pezzi di viso isolati, messi insieme da me, ne formano un altro, alterato, irriconoscibile e veritiero, come i volti dei cubisti. Tutta la notte danzerà nella mia mente infantile. È il modo in cui mi appare anche ora, da qualche anno, prima di dormire. Lo confondo con il mio viso di vecchia grassa. C'è qualcosa che li accomuna ma non so comprendere cosa, non sono mai riuscita a dare forma al volto di mia madre.

"Si dilegua, come tutte le sere, la sua pelle profumata mi sfiora il viso. Dalla stanza accanto provengono urla e poi baci, carezze e canzoni.

Enzo, Tonino e Domenico, i miei gioielli belli! Neanche per cento lire la mamma non li dà! E per diecimila lire? Neanche per diecimila lire la mamma non li dà! E per un milione? Neanche per un milione...

"Stento a riconoscere la voce da innamorata. Cerco di convincermi che è la stessa madre dei compiti, delle lacrime e della disperazione.

"Quell'amore che avviene nella camera dei maschi, nascosto e terribile, mi sembra proibito come i racconti notturni di mia nonna."

"Adoravo i miei fratelli, non ho mai provato risentimento nei loro confronti. Sono una persona capace di forti antipatie ma loro li amavo. Sui miei fratelli ho esercitato le prime osservazioni sul corpo maschile. Mi pareva che i loro corpi possedessero delle virtù che il mio non aveva. Non solo perché io ero meno bella, come dicevano tutti, ma perché loro non avevano nessuna consapevolezza di esserlo. Se ne infischiavano, così come non prendevano mai sul serio le urla di mia madre. Mentre per me le sue lacrime erano insopportabili, la sua disperazione la mia. Per tutta l'infanzia ho sofferto della sua infelicità.

Quelli c'hanno quel mezzo etto di carne in più, Antonia, vuol dire molto per una madre, diceva mia nonna. *Non c'ho avuto femmine per mia fortuna, ma se l'avessi avute, l'avrei educate più severamente dei maschi. Le donne so' intelligenti e devono faticare; gli uomini vivono come nascono, liberi e senza pesi. Però so' più delicati, muoiono facilmente e quando so' piccerilli dipendono da noi. Però come so' belli! Com'era bello tuo padre! Ricci biondi c'aveva e quel tappino di bottiglia tra le cosce tutte a rotoli. Sembrava un angioletto! Come li baciavo quand'erano piccoli! Anche tu c'avrai il tuo maschietto, Antonia, non piangere. Sccc... ascolta. Te lo ricordi Alfonso, il mascalzone che non m'ha sposato? Ascolta che ti racconto. Era bello come un dio, bello e sciupafemmine.*

"Mia nonna si spoglia davanti al letto. La luce gialla del lume illumina zone del suo corpo grinzoso. Ma com'è fervida ancora la sua immaginazione! Mi descrive gli appuntamenti, i baci, la mano di Alfonso che le palpa il seno alto e tondo.

Parlava con Dio, Antonia, il mio seno! E sistema il suo seno vuoto nella camicia da notte rosa, si siede sul letto e si massaggia il piede freddo.

Come baciava Alfonso! Tu lo sai, Antonia, che il bacio è una scienza speciale. La lingua, alcuni la muovono rapida che sembra una farfalla prigioniera, altri piano piano perché ti vogliono convincere. Quella di Alfonso pareva la pala di un'elica, mi risucchiava tutta. Mi sembrava di sparire nella sua bocca. E ride con la bocca sdentata coprendola con la mano con un gesto vezzoso.

"Nascondo il viso sotto il cuscino per non vederla, mi vergogno di lei, del suo corpo e del mio che diventerà come il suo, della passione d'amore che non si arrende."

"Ho un ritratto di mia nonna, lo vuole vedere?"

Mi indica un comò in fondo allo studio. L'unico mobile della stanza insieme alla poltrona in cui è seduta e al divano dove talvolta riposa di mattina, sognando di lavorare ancora. Non ci sono colori; la luce naturale entra dalle finestre che affacciano sul parco, macchia di ombre i lavori coperti dai teli, il banco degli strumenti ordinati e inattivi.

Torno a sedermi con l'acquarello in mano.

"Avevo dodici anni quando l'ho dipinto. Trovo riuscita l'espressione degli occhi, furbi e impuri. Così diversi da quelli di mia madre che incenerivano tanto erano duri, appassionati. Il mio dramma era che quella passione non cadeva su di me. Il dramma e la fortuna."

Fisso la vecchia dell'acquarello e la immagino ragazza con Alfonso lo sciupafemmine.

La signora oggi è di buon umore. Mi chiedo se sia perché l'infanzia di cui ha cominciato a raccontare è tanto lontana da sembrarle una favola. La tunica nera che indossa è antica; fiori dorati ricamati sulla stoffa sbiadita salgono dalle maniche alle spalle. Il turbante in testa ne richiama il colore. Forse mi sono abituata all'abbigliamento esotico, ma oggi mi pare quasi bella. Il nero, forse, o il viso più sgonfio e meno truccato della prima volta. E poi mi piace stare in questo ambiente spoglio, mi corrisponde più del salottino dei souvenir.

"Nell'infanzia mia madre è stato il mio unico amore, forse perché non mi ricambiava. Non so se succeda spesso, in genere si pensa che sia il padre l'oggetto d'amore delle bambine. Lei cosa ne pensa?"

"Non lo so, non ho conosciuto mia madre, se n'è andata quando avevo tre anni."

"L'ha cresciuta suo padre?"

"Una bambinaia nella casa di mia nonna."

"E suo padre?"

"Più tardi ha smesso di viaggiare per starmi accanto. Era giornalista. Si è anche risposato per darmi una madre, ma ormai ero già grande."

"Dunque lei non ha avuto una vera famiglia."

Lancio uno sguardo al registratore che continua a girare.

"No. Nella casa dei nonni venivano zii e cugini ma mi erano indifferenti, aspettavo i ritorni di mio padre."

Per un attimo mi pare stia valutando l'idea di chiedermi qualcos'altro. Poi tira una boccata dalla sigaretta ormai finita e distoglie lo sguardo.

"Mio padre aveva ereditato un negozio di tessuti all'ingrosso. Negli anni tra le due guerre divenne il più importante fornitore di vesti e paramenti sacri di Napoli. Andava spesso a Roma, *in Vaticano*, come diceva. Qualche volta mi portava con sé."

"San Pietro, la prima volta. Il sole esplode nei vuoti tra le colonne come in una foresta fitta. Mio padre mi prende per mano, mi porta dietro una fila di colonne. Vuole farmi vedere quanto sono state ben disegnate, che se ti metti in un punto preciso, ti pare che ce ne sia una sola. E poi mi lascia al centro della piazza. Mi ha detto di girare piano su me stessa, di dimenticarmi di tutto, anche di lui che si è nascosto dietro una carrozzella posteggiata più in là.

Antonia, succede una cosa strana se giri come ti ho detto. Te lo ricordi il gioco della mollica di pane? La fai ruotare sotto le dita incrociate e le molliche di colpo paiono due. È un'illusione. Ora ti lascio e tu gira, gira, non pensare.

"Stendo le braccia e inizio a girare piano come mi ha detto. Vedo sfilare il colonnato, la facciata della chiesa, le carrozzelle, i passanti. Poi, a poco a poco, tutto si inverte. Come in una centrifuga le colonne si avvicinano, mi si incollano addosso, le colonne, la chiesa, la cupola. La piazza rimpicciolisce, sono io che la faccio girare. Sono l'asse della trottola e a poco a poco perdo forza e mi accascio sul fianco. Si fa buio, sussurrano.

Ma che padre siete, cosa avete fatto a questa bambina? Antonia, era un gioco, non dovevi girare così in fretta! Antonia, Antonia!

"Sono stesa su delle sedie all'interno della basilica. Mi tirano su la testa. Cerco di aprire gli occhi, vedo tutto nero.

"All'improvviso una forma bianca sul fondo attira il mio sguardo. Ma il viso agitato di mio padre e il fazzoletto bagnato d'aceto che il prete mi preme sul naso m'impediscono di vedere. Agito la mano perché si tolgano. Dov'è quella sagoma bianca e sfocata che mi è apparsa un attimo nel buio come uno squarcio di luce? Finalmente riappare. Il ragazzo nudo steso sulle ginocchia della donna, sembra così leggero. La giovane donna lo guarda senza quasi toccarlo, la mano destra lo regge delicatamente sotto l'ascella perché non le scivoli. Il corpo di lei è coperto da una tunica e quello di lui è perfetto come quello dei miei fratelli. Costringo mio padre a fermarsi davanti alla statua e lui accondiscende perché si è spaventato. *Non lo dire a mamma, Antonia, non dirle che ti sei sentita male, me lo prometti?* Non lo ascolto. Neanche di mia madre m'importa nulla, né delle sue furie né della tenerezza che mi nega. Quei due chiusi nella pietra mi rivelano me stessa in un modo che ancora oggi mi è difficile spiegare."

"La *Pietà* di Michelangelo non si riesce più a guardare, ma io quel giorno l'ho 'vista', forse perché ero bambina. I suoi la conoscono?"

Arrossisco.

"No, sono ancora piccoli."

"Non ci sono limiti d'età per la bellezza."

Di nuovo il suo disprezzo mi colpisce come uno schiaffo.

"Ma non si preoccupi, tutte le scoperte importanti dell'infanzia avvengono per disattenzione dei genitori."

Devo mettere da parte l'antipatia che provo per il suo modo di giudicare, di fumare senza ritegno, di truccarsi. È il mio lavoro, non devo farmi condizionare dall'odore dolciastro del suo corpo. Forse non riesce più a lavarsi da sola e allora si mette il profumo. Odio i profumi delle donne vecchie che si truccano ancora, che cospargono di cipria bianca le pelli grinzose. Quei profumi ristagnano negli ascensori e mi fanno vomitare. Avverto di fronte a lei il mio viso contratto e pallido, i pantaloni grigi intonati al pullover, le scarpe maschili con i lacci. E lei con il suo caftano, il turbante e i pomelli rossi da bambola. Gioco nervosamente con la fede, a tratti con la penna come una studentessa.

"Quei due, la donna e il ragazzo che dormiva steso sulle sue braccia, erano una coppia di innamorati, la prima coppia di innamorati che mi capitava di vedere."

Cerco di concentrarmi di nuovo sulla bambina Antonia davanti alla *Pietà*, i capelli scuri a caschetto, il fiocco laterale disfatto, il vestito con la vita troppo alta. Se penso alla bambina mi è più facile ascoltare.

"Quel giorno ho scoperto che fuori dalle mura di casa c'era una via diversa. Mi sono avvicinata alla scultura, all'idea di farne la mia attività, molto più tardi. Non ero una bambina prodigio, solo una ragazzina brava a scuola, ligia e infelice. Disegnavo bene, facevo ritratti ai miei fratelli ma non avevo idea di possedere un talento. Nessuno nel mio ambiente familiare ci faceva caso; e questo penso sia stato un bene. Non credo neanche si trattasse di vero talento, intuito psicologico forse, sensibilità, come testimonia lo sguardo di mia nonna che sono riuscita a fissare nel ritratto. Niente di più.

"Dopo la visita in Vaticano in cui ho scoperto la *Pietà*, sono passati anni prima che mi accadesse qualcosa da ricordare.

"Ogni estate ci spostavamo da Napoli a Ischia."

"La casa è di certi parenti di mia madre, a Ponte d'Ischia. Il portone di legno marcito apre su un cortile interno: un intrico di rovi e limoni giganti che nessuno cura. Nelle stanze dai soffitti alti c'è di tutto: vecchi mobili accatastati, libri antichi, servizi di piatti e bicchieri, fotografie, soprammobili. Un palazzo usato come ripostiglio. I parenti di mia madre sono ricchi e tirchi.

"Pina sistema i figli in cucina con le valigie e le ceste, e dice a mia nonna di dare loro la merenda mentre lei va in giro per la casa con me e la guardiana Filomena che viene a servizio da noi durante l'estate. Diamo aria alle stanze che puzzano di muffa. Sbattiamo i materassi e facciamo spazio negli armadi pieni di biancheria. *Cosa ci fanno con tutta questa biancheria?* E Filomena risponde sempre nello stesso modo, sospirando e sbattendo il battipanni con la forza di un uomo. *I mariti si sono fatti rari comm'e prièvete! Ma cosa dici, Filomena, se non ci sono che preti a Ischia! Qui al centro, signora, ma dalle parti mie, a Barano, non ci vengono, è troppo lontano.*

"Filomena pensa che Barano-Ponte d'Ischia sia la distanza

massima percorribile da un essere umano. Quando mia madre le ricorda l'esistenza di Napoli, lei volta le spalle offesa.

"Il paragone tra i mariti e i preti le viene naturale perché il suo unico amore è stato il parroco di Barano. Mia nonna, che adora le storie di sesso, dice che ci è andata a letto e ha avuto un bambino da lui, dato subito in adozione. E dice anche che quando siamo venuti a Ischia per la prima volta e io avevo solo tre mesi e *a tua madre le era andato via il latte a forza di piangere perché eri nata femmina, e tu piangevi di fame, allora Filomena, che c'aveva ancora il latte del suo maschietto, ti ha attaccata al seno e mentre ti allattava piangeva come una fontana. Tre femmine in lacrime! Per questo pure tu sei venuta così drammatica! E Filomena è inutile che ora fa la santa e porta il rosario al collo e si fa il segno della croce ogni volta che un uomo le passa accanto.*

"Filomena mi fa orrore come il corpo di mia nonna. È bassa come una nana, ha il viso rotondo e lucido da mela vecchia, le labbra sempre umide e con i denti rotti, le gambe storte e il seno che le arriva alla vita; porta le trecce nere annodate sulla testa come nell'altro secolo. Da quando ho saputo che mi ha allattato, ho strane visioni: Filomena esce dalla bocca di mia madre mentre lei urla ai miei fratelli; Filomena mi nasconde tra le sue gambe e mi porta via; il capezzolo del seno di Filomena mi insegue per farsi succhiare. Ogni estate rivedendomi mi bacia sulle guance con la bocca umida dicendomi sempre la stessa cosa, *te si' fatta grande!*

"Filomena è falsa, in questo ha ragione mia nonna. Quando mia madre ci lascia con lei la sera, si mette a giocare con noi come una bambina scema e cambia le regole per farci paura; ci chiude a chiave nelle stanze e fa rumori di fantasmi; allo 'schiaffo del soldato' ci colpisce senza pietà con le sue mani da uomo. Ma so che mi preferisce ai miei fratelli.

"Una mattina d'estate, ho otto anni, sono malata. Ho caldo per la febbre e per la temperatura della stanza. Le lenzuola si attaccano alle gambe e il cuscino è rovente. Non so esattamente dove sono perché mi addormento e mi sveglio in continuazione. Gli altri devono essere andati al mare, ma neanche di questo sono sicura perché sento le loro voci nella casa. Quella di mia madre che canta una canzone napoletana, *te si' fatta 'na vesta scullata, 'nu cappiello coi nastri e co' e rose*, un pezzo con le parole un pezzo senza perché non le ricorda. Forse sto morendo, ho troppo caldo e ho le visioni che si hanno prima di morire. Enzo, Tonino e Domenico sono intorno al letto, mi prendono in braccio e mi fanno galleggiare sull'acqua e poi mi appozzano senza darmi neanche il tempo di prendere aria. *La uccidete così! Smettetela! Respira, Antonia, respira!*

"Filomena mi immerge nell'acqua fredda della vasca da bagno, due, tre volte. Mi tira su gocciolante e mi avvolge nell'accappatoio ruvido, poi mi stende sul letto e mi strofina fino a che la pelle non si macchia di rosso e il sangue scorre nelle vene come vino caldo.

Te sienti meglio, Antonia? Antonia bella, guarda quanto t'ha fatta bella la mamma tua! Che belle gambe lunghe e i piedi piccoli, e le mani con le unghie bianche e questi due bottoncini sul petto, due roselline sono! E la terza è in mezzo alle gambe, ma nisciuno la può cogliere perché se no si punge con le ortiche.

"Mentre mi addormento fresca tra le sue braccia, mi pare che il mio corpo si risvegli per la prima volta sotto le sue mani che sono grandi e morbide come quelle di mia madre."

"In quegli anni desideravo la bellezza per essere amata da mia madre. La cultura, le letture, il bisogno di libertà sono venuti dopo, quasi come una rivincita. Mia madre amava solo i belli. La scuola, l'intelligenza, lo studio erano valori che si era imposta perché era una maestra di scuola. Ma in realtà assolveva sempre prima di tutto la bellezza. Per questo i miei fratelli se ne infischiavano quando urlava, non avevano nulla da temere. Gli occhi di mia madre si posavano su di loro con passione.

"Tra me e Domenico ci sono cinque anni di differenza. Dopo tre anni sono nati Enzo e Tonino a due anni di distanza l'uno dall'altro. Così tra me e l'ultimo, Tonino, ci sono dieci anni. Fino a un certo punto ho fatto loro da madre. Più tardi sono diventati i miei cavalieri."

"Nell'angolo di mare davanti al castello aragonese si ancorano d'estate, col mare buono, le barche dei pescatori. A metà della nuotata verso la Baia di Carta romana, per riprendere fiato, ci appendiamo alle fiancate colorate come quattro naufraghi. Rido alle loro battute, agli scherzi continui. Enzo tormenta Tonino, lo sorprende mentre fa lo sbruffone attaccato per i piedi alla sua barchetta, e lo appozza senza pietà. Allora Domenico li raggiunge e schizza tempeste d'acqua sui due avvinghiati, li cala nell'acqua a turno fino a che *Pietà! M'hai ucciso! Sei uscito pazzo, sei! È lui!*

"Dalla mia postazione vedo il turbine d'acqua che si placa e si riaccende di furia. Allora fischio, con le dita in bocca, me l'hanno insegnato loro. Istantaneamente si fermano come se fosse il canto irresistibile della loro sirena. Nuotano verso di me, il battito dei piedi e le bracciate potenti. Riprendiamo a nuotare in plotone. Io davanti e loro disposti ad ala intorno a me, attenti a non superarmi. E allora mi pare di avere dieci gambe e dieci braccia, come nella favola della principessa e dei suoi dieci fratelli trasformati in cigni dalla strega. Sì, ora la ricordo. Ero una grande lettrice di favole. Per farli ridiventare uomini, la sorella deve filare dieci maglie con le ortiche raccolte nei cimiteri e gettarle sulle loro piume bianche al tramonto, quando calano dal cielo verso il mare e si riposano, come capitava a noi, su un piccolo scoglio solitario. Sì, le ortiche, come le ortiche che difendevano, secondo Filomena, la mia verginità.

"Nuotiamo. La nostra meta sono gli scogli facili da scalare davanti alla torre di Michelangelo. La torre dei mille racconti. Ogni giorno o quasi, Tonino vuole che gli narri la storia d'amore tra l'artista e Isabella d'Aragona. A pancia sotto, sulla roccia bollente del nostro scoglio, con i capelli scuri divisi a ciocche dalle gocce e gli occhi verdi arrossati dal sale, fissi su di me e supplicanti, mi chiede la storia come fosse ancora piccolo. *E e e d dai A An tonia!*, balbetta Tonino. Mia madre l'ha portato da tutti gli specialisti della città, ma io sola so il trucco che lo guarisce per un po'.

Isabella s'affacciava alla finestra del castello e guardava la torre dove lui disegnava... sono stati insieme tutta la notte. Dai sotterranei del castello c'è un percorso segreto, sotto il mare, che arriva fino alla torre. Isabella l'ha fatto scavare per incontrarsi con il suo principe. Lei non ama i potenti, ama gli artisti. È innamorata della loro arte. Vuole sapere il segreto che li rende più invincibili dei re. Tutte le notti si fa raccontare da Michelangelo i suoi sogni che lui riesce sempre a realizzare. Gli bacia le mani come una schiava e vuole offrirsi a lui. E tutte le notti lui la rifiuta. Gli schiavi che hanno scavato il passaggio segreto per il sogno d'amore di Isabella sono morti, sepolti dagli smottamenti della terra umida e i loro teschi spuntano dalle arcate della galleria sottomarina dove arriva minaccioso il palpito delle onde.

E non ha paura di camminare tra i teschi? chiede Tonino con voce forte, senza tentennamenti. Gli occhi chiari dei miei fratelli mi fissano, sono raccolti intorno a me. Sento il potere che ho su di loro, l'incantesimo che li distrae dal caldo e dal desiderio di muoversi.

Isabella non ha paura di nulla quando si tratta di raggiungere l'uomo che ama. Le donne sono così, Tonino, ricordatelo, quando amano sono forti come montagne, schiacciano senza pietà chi osa ostacolarle, ma di fronte al loro innamorato si sciolgono come la panna nel caffè. Per amore possono uccidere e uccidersi con la stessa facilità. Ma Michelangelo, di Isabella, non ne voleva sapere. Durante il giorno, mentre lei triste guarda dal castello le finestre della torre, Michelangelo fissa senza fiato il corpo abbronzato del suo ultimo amore addormentato nel letto, il figlio di un pescatore di questo mare in cui nuotiamo.

Allora Michelangelo era 'nu femmeniello! urlano ora i miei fratelli schiamazzando e ridendo.

Era un uomo, cretini, e che uomo! Ma le donne gli facevano schifo.

"Mi guardano incerti, non sanno se credermi, poi iniziano a schizzarsi e il pensiero scivola via dalle loro menti come i loro corpi magri dallo scoglio. Solo Tonino resta ancora qualche istante accanto a me.

E Ii sa be bella si si uc cide do dopo? mi chiede balbettando di nuovo ora che la paura dei teschi è passata.

Si uccide, con un coltello si fa strappare il cuore e ordina di essere sepolta nella galleria segreta e di chiudere l'entrata e l'uscita. E nessuno ora può sapere qual è il suo teschio perché è identico a quelli degli schiavi che sono morti per favorire il suo amore impossibile."

"Quando mi sono iscritta all'accademia, ho studiato per due anni le sculture di Michelangelo, ma non mi rendevo conto delle coincidenze che mi avevano già portato a lui nell'infanzia. Eppure sono convinta che le scelte nascono così. Alcune esperienze, qualche volta dei nomi misteriosi, colpiscono la fantasia e ci si costruisce su senza saperlo l'attività della nostra vita. Come con le favole. Ne leggevo tante, fino a quattordici anni ho continuato a leggerle. Ce n'era una, non sono stata più capace di ritrovarla. I libri dei bambini si gettano e non si trovano più, seguono le mode. Questa favola raccontava di un uomo trasformato in nano da una donna, una strega che era anche una grande cuoca. La donna portava il nano con sé al mercato, gli insegnava quale verdura comprare per cucinare uno stufato tanto buono che chi lo avesse mangiato sarebbe morto di piacere. Anche da bambina sono sempre stata una gran mangiona, forse per questo mi piaceva quella favola."

Si ferma, guarda davanti a sé, forse rivede la figura della strega cuoca nel vecchio libro di favole. Anche a me piacevano le favole, ma questa non la conosco.

"*Fiori di zucca scioglietevi in bocca...* dall'altro giorno, da quando ci siamo incontrate, mi girano in testa quei versi e non riesco a ricordarmeli. La mia memoria è un colabrodo."

Prendo il taccuino dalla borsa, le tendo il foglietto dove ho ricopiato i versi della sua poesia gastronomica.

"Ho pensato che le avrebbe fatto piacere averla."

La legge e poi alza gli occhi su di me, sono velati, liquidi.

"Non sono più tornata in quel ristorante senza Malù. Non mi piace tornare indietro, rimestare nel passato. È questo lavoro con lei che mi obbliga a farlo. Il passato è indecente, patetico. Qualsiasi passato si ricopre di lacrime e rimpianti. Odio le confidenze e le confessioni, ma non ho più la forza di lavorare. Sono una scultrice, lavoro con le mani e quello che passa nella mia opera è lì e basta."

Si asciuga gli occhi con un fazzoletto minuscolo estratto da una tasca del caftano. Piega il foglio e lo tiene in mano insieme al fazzoletto.

"Lei non sa chi era Malù, vero?"

La guardo senza capire.

"No... una sua amica, forse?"

"Sì, una grandissima amica mai più sostituita."

Mi guarda come se volesse farmi intendere qualcosa.

"Certo lei non può saperne nulla. Mi scusi, forse non avrei dovuto fare questo libro. Ma Davide ha insistito, e poi ho bisogno di soldi."

"Se vuole possiamo fermarci, mi dispiace..."

"No, andiamo avanti. Domani parto per due settimane,

la mia segretaria gliel'ha detto, vado in Francia. Cosa stavo dicendo?"

"La favola della cuoca e del nano..."

"Ah, sì, in questo libro che non ho più trovato..."

Mi guarda di colpo con gli occhi furbi e un sorriso cattivo.

"Per carità, non lo cerchi! Capisco che per il suo mestiere lei deve accumulare indizi, ma io preferisco tenermi il passato a brandelli, mi rassomiglia. In questo libro di favole, dicevo, c'era l'illustrazione della strega cuoca, magra, alta, con il naso a becco. Teneva il nano nascosto nella tasca. Con le mani lunghe prendeva dal banco un cavolo, e lo faceva rotolare a terra perché non le sembrava abbastanza tenero. Questa illustrazione mi attraeva. La mano che lasciava cadere il cavolo a terra davanti al volto del nano spaventato nascosto nella tasca e a quello furente del venditore. Quel gesto della mano, ci ho lavorato per anni. Lei sa di cosa parlo?"

"La serie di mani aperte. Ma non sono mai state interpretate come mani che gettano qualcosa."

"Lo so, e invece era da lì che venivano. Mi sono ricordata di questa favola solo qualche anno fa. Ora ho tempo per pensare."

La donna grassa, chiusa nella tunica nera, tace. Gli occhi fanno il giro dello studio, dal banco degli attrezzi alle sculture non finite coperte dai teli bianchi, alle finestre sfondate di luce.

"In fondo però mi fa bene parlare con lei, forse più a lei che con lei. Purtroppo deve sottostare a questi monologhi, è il suo mestiere."

"Certamente," le rispondo.

"Sì, mi fa bene, a parte la sua mania di raccogliere reperti del passato. Lei deve avere una casa piena di oggetti."

"Mi piace conservare ricordi, sì."

"Io posso lavorare solo nel vuoto. In ogni modo non le

serve a niente conservare, l'incontro con il ricordo è sempre fortuito. Già, ma per lei è diverso, lei non è un'artista."

È la verità, sono stata sempre io la prima a saperlo, scrivo biografie non romanzi. Il mio è un mestiere, non arte. Ma non mi piace sentirlo dire da lei.

Con il fazzolettino, Antonia si tampona la mano, lo sguardo basso. Un sorriso ironico le increspa gli angoli della bocca. Senza alzare lo sguardo, riprende il discorso.

"Dove eravamo rimaste?"

"A Ischia, i suoi fratelli, sua madre."

"L'infanzia, l'eterna infanzia di tutti. Mio padre veniva i fine settimana, come tutti gli uomini, e mia madre il sabato ricominciava a piangere. Era stata allegra tutta la settimana. Ci portava al mare di pomeriggio perché al mattino il sole era troppo alto e scottava. Preparava una cesta di panini, albicocche, nespole, anguria. Non faceva mai il bagno, ci guardava nuotare e leggeva all'ombra i romanzi di Grazia Deledda. La tenevo d'occhio qualsiasi cosa fossi intenta a fare. Ero convinta che invidiasse la Deledda, avrebbe voluto essere una scrittrice. Mi diceva *ho tante storie in testa, tante cose ho visto che potrei scrivere romanzi fiume. Ma non ne ho avuto il tempo, prima tuo padre, poi te e i tuoi fratelli...* Non la sfiorava il pensiero che ci volesse del talento per scrivere, pensava che chi ha una storia la deve solo deporre sulla carta come la gallina depone l'uovo. *Antonia*, mi diceva, *queste storie della Deledda non valgono nulla, le hanno anche dato il Nobel! Io sì che ne ho di storie da raccontare. Ascolta...*

Quando avevo la tua età, c'era un uomo nella nostra strada, un elegantone vestito di bianco. Abitava due portoni prima del nostro e usciva tutti i pomeriggi alle quattro. Non lavorava, nessuno sapeva come facesse a vivere bene e a pagarsi l'appartamento dove viveva. La nostra donna delle pulizie diceva che nella casa c'erano argenti, poltrone e specchi, e che con lui abitava una donna. Nessuno l'aveva vista, ma i vicini di casa ne avevano udito le urla e i pianti."

"Mentre mia madre raccontava, si illuminava, diventava ancora più bella. Non la interrompevo, avrei voluto chiederle se i pianti di quella donna fossero uguali ai suoi e l'odio per mio padre simile a quello della sconosciuta segregata in casa dall'uomo vestito di bianco. Mia madre prendeva fiato, scostava una ciocca di capelli dalla fronte. Nel movimento il bagliore giallo del lampione della strada le infuocava la mano e l'occhio. Non c'era luce dove eravamo sedute. Il giardino della casa di Ischia, intricato di rovi e di alberi di limoni cresciuti a grappoli e imputriditi sui rami, senza spazio per cadere a terra, era scuro, chiazzato da quella luce gialla che proveniva dalla strada insieme alle urla dei bambini, delle donne, alle risate della festa perenne dell'isola. Mia madre continuava il suo racconto:

Una sera incontrai l'uomo vestito di bianco per strada, avevo sedici anni. Si fermò davanti a me, si guardò intorno per verificare se qualcuno ci avesse notato, mi prese per un braccio e mi spinse sotto un arco. 'Ti vedo che mi guardi dalla finestra quando passo.' Aveva il labbro superiore storto, i baffetti neri non riuscivano a nasconderlo. Intorno alla presa della sua mano, la mia pelle bruciava. 'Vai su, vai a casa mia e di' a quella donnaccia che stasera non torno. Tieni, prendi le chiavi e poi lasciale sul tavolo all'ingresso, ne ho un altro paio. Sai dove abito, vero?' Rideva, all'improvviso lasciò il braccio e mi baciò la mano come a una donna fatta.

Quanto era grande quel portone e anche la porta della casa di legno scuro! Sulla targhetta d'ottone c'era un nome, non posso dimenticarlo: Arrivabene. Ci misi molto tempo a trovare la chiave giusta. Dietro la porta c'era un silenzio assoluto. Temevo che qualcuno mi sorprendesse sul pianerottolo: chi ero io per entrare in quella casa? Due grandi specchi nel corridoio riflettevano le sedie di velluto rosso allineate alla parete. Mi guardavo camminare lentamente fino alla stanza dove brillava una luce fioca. La casa era come l'aveva descritta la nostra donna di servizio, ma nella stanza della signora nessuno era mai entrato. Mi fermai davanti alla porta semiaperta. Nella penombra i mobili sembravano macchie scure. C'era un sommier in un angolo, gonfio di cuscini, di stoffe; piante rampicanti nascondevano le finestre. Tavolini coperti di oggetti affiancavano divanetti di forme strane. Su uno di questi, sotto la luce dell'unico abat-jour acceso, era seduta una donna con un libro aperto sulle ginocchia; mi parve di grande bellezza. Il suo sorriso mi incoraggiò a parlare. 'Non viene stasera, mi ha detto di dirtelo.' Mi fissò un secondo tristemente. 'Grazie, puoi lasciare la chiave dove ti ha detto lui.' Fu tutto. Un mese dopo lui le sparò e si tolse la vita."

"Questo era il racconto di mia madre. Mia nonna, nelle notti successive, lo completò a suo modo:

L'Arrivabene era una ninfomane, a Napoli lo sapevano tutti. È una malattia grave, Antonia. Desideri un uomo come una gatta in calore e chisto desiderio ti costringe a accoppiarti con chiunque, a tutte le ore del giorno e della notte, mi sussurrava con la sua voce appassionata. Nel buio mi si confondevano le idee perché mi pareva che anche lei, mia nonna, corrispondesse perfettamente alla definizione che mi aveva appena dato della signora Arrivabene.

Il marito la chiudeva in casa, la batteva, ma quella doveva uscire, doveva trovare un uomo, Antonia, non si rassegnava."

"Faticavo a tenere insieme le due storie. Mia madre mi aveva fatto sognare una creatura diafana, sovrannaturale e incompresa, rinchiusa in una stanza da un orco con la bocca storta. Una donna simile a come pensavo si dovesse sentire lei, anche se non ne comprendevo la ragione: mio padre mi sembrava un uomo buono e innamorato. Mia nonna, invece, con il suo eloquio ruvido e molto evocativo, me la descriveva come una specie di saraghina elegante e stradaiola, pronta a tutto per avere un uomo.

"In ogni caso non riuscivo a capire bene il senso della parola ninfomane. Ancora oggi, a dire la verità, non mi pare significhi nulla, se non la paura degli uomini di non essere all'altezza del desiderio femminile.

"Allora ragionai moltissimo sulla protagonista del romanzo mancato di mia madre. Il volto di quella donna bella e sola, il suo sorriso rassicurante non corrispondevano alle sue descrizioni né a quelle di mia nonna. Così me ne inventai un'altra. Ritagliavo sulle riviste volti di donne e componevo collage di bocche, occhi, labbra e capelli presi da fotografie diverse. Iniziai a disegnarla, riempivo fogli di quel volto mai visto, cercavo di fissarne il sorriso. Un sorriso che sembrava dire: *si sa è così*, *non c'è nulla da capire*. Lo diceva a me, al dolore di mia madre, ai calori di mia nonna. Mi sembrava nascondere il mistero dell'infelicità dei miei genitori. Poco prima di fuggire da casa, era il..."

"1943," le rispondo pentendomi subito della mia precisione. Sorride, senza guardarmi.

"Già... C'era la guerra e io avevo diciotto anni. Comunque arrivai alla conclusione – confermata poi da molti altri colloqui con mia madre, quando mio padre era già morto – che i miei genitori avevano fatto l'amore quattro o cinque volte in tutta la loro vita. Mi chiedo ancora come abbiano fatto a dormire nello stesso letto per tanti anni. La loro storia rimase nella mia mente legata a quella dei coniugi Arrivabene."

Antonia sposta velocemente gli occhi da un punto sulla parete ai miei. Difficile, come la prima volta, sostenere il suo sguardo; ora non temo di svelarle come uno specchio la sua deformità, mi imbarazza l'ironia con cui mi fissa, apertamente, con la semplicità di chi non teme più nulla, mi fa sentire vulnerabile.

"Lei potrà lavorare queste due settimane senza di me?"

Chiudo il registratore.

"Sì, certo. Non scrivo ancora, prendo appunti. Studio il suo lavoro, le critiche..."

Di nuovo mi fissa in silenzio e mi pare che negli occhi le brilli il lampo di un'altra verità, che mi guardi all'improvviso come se mi conoscesse, ma è un istante. Un istante che mi attrae come una vertigine, abbasso lo sguardo, mi allontano dal parapetto. Antonia chiama il gatto fermo sulla porta.

"Non so se quello che le ho raccontato fili. Questi ricordi sembrano gli ultimi acini di un grappolo d'uva appassita."

"Lei racconta molto bene, non ci si annoia."

Ride accarezzando il gatto.

"Questo è il miglior complimento! Ha qualche domanda da farmi?"

Com'è gentile adesso! Se ne va, parte, e non mi vedrà per due settimane. Allora, ritardiamole un po' il pranzo.

Riaccendo il registratore.

"Sì, solo una cosa, ma non vorrei stancarla, forse ha fame."

Mi fissa seria, senza rispondere, aspetta la domanda.

"In un'intervista pubblicata in un catalogo del 1980 lei risponde a una domanda sulla sua famiglia. *O si era come loro o si era rifiutati, non ho debiti di riconoscenza.* Poi di sua madre si è presa cura fino alla morte."

"Le pagavo una pensione, un bel posto sulla costiera, andavo a trovarla."

"Comunque, almeno con lei, non ha mai rotto."

"Le dovevo i miei viaggi, mi inviava soldi quando poteva. E poi a mia madre perdonavo tutto anche da bambina. I miei fratelli, uno dopo l'altro, hanno cercato di cancellarmi dalla loro vita. Quando ho avuto un po' di soldi, si sono ripresentati. Mio padre mi ha cancellato dalla sua vita molto presto. Dopo l'annullamento del mio matrimonio, sono rimasta a Roma, ho continuato a tirare martellate alla pietra, così definiva il mio lavoro, a vivere con un uomo sposato. Qualche anno dopo, ci siamo incontrati per caso. Veniva ogni settimana a Roma, non mi aveva mai cercata. Andava in Vaticano e credo che anche lì avesse dovuto rendere conto della mia vita. Ci siamo incontrati a piazza del Popolo, ci andavo ogni giorno, studiavo un angelo nella chiesa degli artisti. Mio padre si è voltato per attraversare e mi ha vista, ferma davanti alla chiesa, mentre parlavo con un amico. Forse non ero messa molto bene, avevo lavorato, portavo una casacca, i capelli in disordine, tenevo sotto braccio la cartella dei disegni e tutto mi aspettavo meno che di incontrare lui.

"Ci ho ripensato tante volte, a come devo essergli sembrata in quel momento, una donna orribile che aveva ingoiato la sua bambina. Quando non si vede il padre da anni, e lo si incontra per caso, tutto può dividerti da lui, ma il primo sentimento che provi è di gioia. Credo di avergli sorriso, e poi forse l'ho anche chiamato, prima di accorgermi del modo in cui mi guardava. C'erano ripugnanza e disgusto nel suo sguardo, non fece in tempo a nasconderli. Mi allontanai di corsa nella direzione opposta, così non so se si sarebbe avvicinato per salutarmi. Glielo racconto senza l'ombra di dolore. Ora che sono vecchia so esattamente cosa sia quello sguardo, altri uomini nella vita mi hanno guardata così almeno una volta, anche Giorgio. Potrei dire, a lei che è giovane e per sua fortuna, come mi ha detto lei stessa, non è un'artista, che forse lo è proprio chi riesce a trasformare in oro quel disgusto, a farne la propria forza. Può spegnerlo ora."

Si alza, dopo avere dato due colpetti al gatto per invitarlo a precederla nella stanza da pranzo.

"La mia segretaria la chiamerà tra due settimane."

4

Cammino per strada con il mio passo da granatiere; le buste della spesa mi segano le dita ma quasi non me ne accorgo. Devo fare in fretta se voglio che la donna a ore mi cucini qualcosa per questa sera. Non sono una brava cuoca, al contrario di Antonia, che cucinava piatti da artista ai suoi amici, quando era giovane, ancora magra e non andava a dormire prima dell'alba. Io invece vado a letto presto. Mi addormento alle undici con le righe del libro che si accavallano e formano un'altra storia da quella che fingo di leggere.

Avrei voglia di cercare la favola della strega cuoca, di trovare l'illustrazione che gira ancora nella mente di Antonia. Basterebbe andare alla Biblioteca Nazionale, sono molto brava a fare ricerche. Ma lei mi ha chiesto di non farlo. La strega col naso a becco e il nano nella tasca che palpa cavoli finché non trova quello giusto evoca in pieno il carattere della mia protagonista. Lei non sa perché è stata attratta da quella favola, io sì. La strega sceglie gli ingredienti, i migliori, li manipola, li fa diventare capolavori e l'omino nella sua tasca la guarda stupito di tanto coraggio, di tanta bravura. Già nell'infanzia Antonia è Antonia.

Dalla nicchia del salotto dove sono riuscita a sistemare la scrivania minacciata dai bambini e dai loro disegni, ascolto la registrazione. La sua voce, le sue storie si mischiano agli odori che provengono dalla cucina, dove la donna ha messo a cuocere il minestrone. Allo stesso modo mi pare si leghino a me i suoi ricordi.

Vedo la bambina che la guarda, ferma davanti al suo studio dove c'è il corpo senza vita dell'uomo che ama. La sua corsa leggera verso di lui attraverso il parco; la solitudine di quelle passeggiate mattutine. E poi i ricordi d'infanzia; le donne: i pezzi isolati del volto della madre, la bocca sdentata della nonna, le mani di Filomena. Il padre e i fratelli. Il viso di Tonino, bagnato d'acqua di mare che la guarda in attesa della storia. I corpi dei tre fratelli, abbronzati e lucidi d'acqua che scivolano via dallo scoglio e la lasciano sola.

Per tutta l'infanzia Antonia ha accumulato forme e corpi dentro di sé. Da quel lago notturno, sprofondato nella sua coscienza, sono risaliti alla superficie, già scolpiti, i frammenti della sua arte.

Fermo il registratore. Sono arrivati.

All'entrata chiamano "mamma" in coro e mio marito si associa a loro. È andato a prenderli a scuola. Nascondo il registratore nell'ultimo cassetto della scrivania. Ma lo tiro fuori di nuovo perché all'improvviso ho paura che lo scoprano, ci giochino e cancellino la sua voce. Lo faccio scivolare nella tasca dei pantaloni, come l'omino della favola di Antonia. Nonostante la rabbia che mi suscita ogni tanto, ho paura di perderla.

Succede per ogni intervista, per ogni libro. Le prime settimane provo scarso desiderio di entrare così intimamente nella vita di uno sconosciuto; mi devo sforzare di assimilarne le abitudini, i gusti, i difetti; di capire le ragioni più intime. Mi documento in modo preciso per costringermi a conoscerlo. Eppure tutto è ancora astratto. Mentre i miei intervistati parlano, talvolta mi distraggo a pensare ai bambini, a mio marito, alla mia vita. In quel caso il registratore è provvidenziale. Poi, un giorno, per qualche dettaglio talvolta irrisorio, spesso legato a un odore, a un'atmosfera che ho intuito in un racconto, in un frammento di storia o in una frase lasciata a metà, il mio protagonista diventa familiare come un vicino di casa che incontro ogni giorno e su cui fantastico storie che poi si rivelano spesso esatte.

Ma questa volta c'è qualcosa in più che non so ancora definire. Non posso pensarci ora, adesso ci sono loro e mi vogliono.

Antonia ascolta il racconto della madre nel giardino d'Ischia. L'odore acidulo dei limoni spaccati dal caldo e imputriditi sugli alberi riempie l'aria. Gli schiamazzi dei ragazzini salgono dietro il muro di cinta. Lo sguardo di Antonia è fisso sulla donna che non si accorge di quanto le sue parole la colpiscano.

"Chiara, a cosa pensi?"

"A niente."

Mio marito lascia il libro che stava leggendo e mi viene vicino sul letto. Ha voglia di fare l'amore e io di parlare, o meglio prima di parlare e poi, forse. Gli accarezzo il viso senza guardarlo negli occhi, in modo che capisca che non ne ho voglia, senza offendersi.

"Luca, questa donna, Antonia, ci penso molto."

"Lo so, ti succede sempre."

"No, questa volta è diverso. Mi pare abbia vissuto tante vite e ora è lì chiusa nel suo corpo immenso. Lo sai che in aereo le prenotano due posti vicini perché in uno solo non entra?"

"Davvero?" chiede scostandosi, con la voce delusa di un bambino a cui hanno vietato ingiustamente il gioco desiderato.

"Mi chiedo come si può rinunciare a tutto, tenere a una sola cosa, la scultura. Per me sarebbe impossibile. Io ho i bambini e te."

"Meno male."

"Non scherzare, è una cosa seria. Il lavoro mi piace, ma non potrei mai espormi alla solitudine come ha fatto lei. Molti le stanno ancora intorno, ma nessuno può toccarle il cuore. Lo ha chiuso a tutti da tempo, mi chiedo da quanto. Solo quando le ho portato la poesia, una specie di poesia culinaria che ha scritto da giovane, si è commossa e poi si è infuriata perché le ha ricordato la sua amica Malù, di cui però ancora non ha parlato. Sento una specie di disgusto per la sua vecchiaia, non mi piace il suo odore. Eppure quello che racconta, l'isola, la madre, le sue fantasie di bambina, mi attraggono. Ha un modo di raccontare, ti piacerebbe, sintetico, pieno di immagini. Non fa mai teorie, non parla dei suoi sentimenti. Non so se sarò in grado di raccontare la sua vita, di descrivere lei."

"Dici sempre così."

"No, non è vero."

"E invece sì, te lo dico io. Ogni volta che cominci un nuovo lavoro, pensi di non farcela."

Luca mi ha risposto con la voce da sonno. Mi volto per controllare se ha gli occhi chiusi. Ancora no.

"Ti annoio se te ne parlo?"

"Figurati, mi interessa molto."

"Non hai sonno?"

"Continua, sono sveglio e attento."

"Dal primo incontro, ne abbiamo fatti solo due, ho avuto l'idea che mi nascondesse qualcosa. Ora dirai che mi succede sempre. È vero, spesso quando conosco le persone di cui devo scrivere, mi pare che recitino una parte, che si atteggino. E devo andare oltre le loro parole, le loro sicurezze. Con Antonia non è così. Non ha mai cercato di barare: si è presentata subito in modo non attraente. Tradita e non amata dal giovane uomo di cui era innamorata e che poi si è tolto la vita. Mi ha descritto la sua famiglia, la madre, i fratelli come persone piene di fascino, di grazia. E di sé ha dato l'idea di una bambina goffa, diversa da loro, che li guarda non vista da un angolo della casa, come le mancasse un'ala. Anche delle sculture mi ha parlato in modo semplice, tanto che mi è sembrato di vederla lavorare e di capire come il mondo della sua fantasia sia diventato una realtà."

Il sibilo leggero del suo respiro mi ferma. Mi volto e lo guardo dormire, la mano appoggiata su una gamba, i lineamenti del viso ancora tirati per aver lottato contro il sonno. Le mie parole l'hanno cullato.

I primi anni di matrimonio, quando succedeva, mi prendeva una furia terribile. Lo svegliavo e mi mettevo a piangere per la sua incomprensione, per la mancanza di sensibilità. Gli rimproveravo di non capire il mio lavoro. Urlavamo e poi ci chiedevamo scusa a vicenda accarezzandoci e facevamo l'amore. Il nostro primo bambino è figlio di una di queste burrasche. È il più timido, il secondo è nato in una situazione già tranquilla, due anni dopo.

Talvolta immagino i miei due bambini nati insieme, come gemelli. Li tengo in braccio uno da un lato, uno dall'altro. Ho i seni scoperti. Sono gonfi e tesi per il latte, mi fanno male. Piango senza accorgermene perché non so se sarò capace di allattarli. Nessuno può insegnarmelo. Accanto a me, per tutta l'infanzia, c'è stata solo una nonna anziana. Non ho conosciuto mia madre, è sparita tre anni dopo la mia nascita e poi è morta. Mentre piango, Giuseppe, il più piccolo, si attacca da solo e tira il latte con violenza. Giovanni invece mi fissa con sguardo di rimprovero per la mia inettitudine e si lascerebbe morire di fame pur di non farmi contenta.

Ho un debole per questo bambino problematico, nato prima che io rinunciassi alle furie contro Luca, al sogno di un'intimità profonda tra noi, da amici.

Ci siamo conosciuti a una festa, una di quelle serate a metà degli anni settanta in cui era difficile trovare qualcuno sobrio; gli stessi anni in cui anche Giorgio, il compagno di

Antonia, aveva iniziato a drogarsi. A quella festa io e Luca eravamo gli unici a non essere fuori di testa. Ero astemia, e ogni volta che fumavo erba mi succedeva di passare la serata a controllarmi per la preoccupazione di dire frasi sconclusionate, così fumavo sigarette.

Luca era seduto su un divano tra gente fumata che si ignorava. Sfogliava una rivista lasciata sul tavolino dai padroni di casa. Io stavo in piedi appoggiata alla porta della cucina, con un bicchiere di cocacola in mano. Nessuno parlava, le note sempre uguali di un reggae si ripetevano come la nenia di un rosario. Scoppiammo a ridere guardandoci.

Tutto quello che accadde dopo tra noi sembrò provocato dall'uso di stupefacenti che eravamo invece i soli a non avere toccato. Luca si avvicinò scavalcando corpi e mi baciò sulla bocca. Cominciammo a baciarci e ad accarezzarci; nessuno ci guardava. Avevamo scambiato poche parole, ci ritrovammo in una camera da letto della casa, forse quella di servizio. Dal letto singolo dove eravamo stesi vedevo una madonna appesa al muro. Luca si alzò per chiudere la porta a chiave. Prima di stendersi di nuovo, mi disse:

"Vorrei che non pensassi male di me. Considero il sesso un argomento molto serio".

Avevo già fatto l'amore con altri, sapevo che l'emozione dei primi incontri si alimentava delle mie fantasie solitarie, e che la seconda volta era spesso una delusione. Con Luca, la seconda volta che uscimmo insieme, decidemmo di non fare l'amore, ma di parlare fino all'alba. Tutte e due le volte ci capimmo bene. Eravamo assolutisti, rigidi avrebbe detto mio padre.

Poi erano nati i bambini e avevo cominciato a lavorare, Luca s'infuriava se lo rimproveravo per la mia stanchezza e si addormentava facilmente davanti alle parole, come adesso.

Lo guardo dormire, i lineamenti del viso si stirano, vorrei accarezzare la mano dimenticata sulla gamba e prendere io l'iniziativa. Ma lui si sveglierebbe e riconquisterebbe il controllo della situazione.

Penso ad Antonia a Parigi. Mi chiedo chi sia andata a trovare, la ragione di quel viaggio improvviso. Non lascia mai la casa di Roma, mi ha detto l'editore. I nostri incontri ora mi sembrano preparati, troppo precise le cose che ha raccontato. Ma tutti si preparano prima di un'intervista, è normale, altrimenti i ricordi e le date di una vita si mischiano tra loro come gusti in un gelato sciolto.

"Gusti in un gelato sciolto..."

Non uso normalmente espressioni del genere, troppo concrete. Ma se penso a lei mi vengono immagini di questo tipo nella testa. Antonia mi attira e mi respinge, come raccontavo a Luca, e ora che so di non poterla vedere per due settimane, vorrei avere già un appuntamento fissato dalla sua vestale. Il corpo enorme e quei caftani che usa per nasconderlo, il profumo dolciastro, gli occhi bistrati da dea indiana.

Chiudo gli occhi e mi pare di vedere, in un ambiente pieno di odori, tra piante e abat-jour, sotto un cono di luce bianca, la signora Arrivabene. E subito dopo la bambina che ne ricrea il volto attraverso le immagini dei giornali.

Mi viene in mente all'improvviso che allo stesso modo ho cercato il viso di mia madre. Ritagliavo i volti delle belle donne nelle riviste. Grace Kelly a un certo punto era diventata lei. Nell'unica fotografia che possiedo le somigliava. Grace era mia madre, pensavo, aveva sposato Ranieri di Monaco e per lui mi aveva abbandonato. Ritagliavo anche le foto delle mie sorellastre, le rinforzavo con il cartoncino e le cambiavo d'abito come facevo con le bambole di carta che mia nonna mi regalava quando ero malata. Ora, mentre scivolo nel sonno, il volto di mia madre che non ho mai conosciuto diventa quello di Antonia. Sono nascosta sotto il suo caftano e le racconto le mie storie.

In un bagliore di sole invernale vedo la nostra villa sulla costa genovese. È davanti al mare, come in tutte le case in cui si aspetta qualcuno. Per i primi anni pensavo che l'atteso fosse mio padre, poi, quando lui è ritornato per sempre, ho capito che era la donna innominabile che lui aveva amato. La nostra vita non aveva nulla di romanzesco, come invece la situazione poteva fare immaginare. Mia nonna assicurava l'ordine e la noia delle giornate. Mio padre scriveva e si occupava un po' di me, aspettando che si facesse sera per riprendere la sua vita da scapolo. Il mio amore era Régine, la bambinaia francese. Era venuta via dall'Alta Savoia con un genovese che non l'aveva sposata. Piccola e grassotta, mentre in famiglia eravamo magri e alti, mi dava tutti i giorni il suo buon umore. Mi pettinava cantando, senza farmi male. Avevo lunghi capelli sottili che si aggrovigliavano. Mia nonna aveva deciso che dovevo tenerli raccolti in una treccia. Mi arrivava a metà della schiena come uno spago, ed era fermata da un fiocco bianco che a me pareva troppo vistoso. Régine veniva a prendermi a scuola e prima di tornare "in villa", come diceva mia nonna, mi portava di nascosto in una casa rosa in cima a certe lunghe scalette.

Quella passeggiata proibita era la mia avventura. Vedo ancora quella casa: l'ingresso davanti alla porta che dava sul vicolo dove aspettavamo con altre donne e i loro bambini. Erano donne *del popolo*, come diceva mia nonna, di tutte le età; una ragazzina bruna le chiamava dentro una alla volta. Affidavano i loro bambini alle altre e scomparivano dietro una tenda blu con delle stelle e una luna ricamate. Alcune uscivano in lacrime, altre piangevano di gioia, prendevano il loro bambino in braccio e lo stringevano con una strana euforia, come fossero tornate da un lungo viaggio. Anche

Régine spariva dietro la tenda blu e io l'aspettavo addossata a un muretto del vicolo, senza mischiarmi a quei bambini che non conoscevo. Ogni volta pensavo che sarebbe sparita come mia madre. Régine usciva dalla tenda in lacrime, si avvicinava e mi rifaceva il fiocco della treccia anche se non era disfatto. Si asciugava gli occhi e mi prendeva per mano.

"Mi sposerò con un altro, va'! Un de perdu, mille de retrouvés."

Dietro il cielo stellato della tenda c'era un porto di mare, Antonia, e lì s'incrociavano in un modo misterioso, che si poteva conoscere solo da adulti, i destini delle persone amate. Dovevo crescere in fretta se volevo avere notizie di mia madre.

Antonia, fammi stare ancora un po' sotto il tuo caftano mentre mi addormento, mi ricorda le *Mille e una notte*.

Amavo quel libro più d'ogni altro. Le principesse con il cuore duro pongono domande impossibili e gli uomini devono essere molto astuti. I visir portano vesti, babbucce e si truccano gli occhi come le donne. Amano profumarsi come loro, sdraiarsi su cuscini di damasco e ingioiellarsi, tranne Sinbad che naviga sempre.

Vorrei un giorno raccontarti di come navigavo nei libri alla ricerca di quella libertà che "in villa" era chiamata pericolo, che leggevo anche per sentirmi vicina a mio padre.

"Tutti questi romanzetti!" diceva, sollevando la copertina del libro che tenevo in mano.

Ti racconterei di sogni che non ho mai rivelato a nessuno per evitare quello sguardo di disgusto che a te è indifferente. Ma sono io che devo scrivere di te.

5

Ho un elemento in mano ma ho deciso di non giocarlo subito. Mi ha telefonato Davide, il depositario delle sue opere e suo ultimo amante. È stata lei da Parigi a dirglielo. Probabilmente non vuole che io rimanga inattiva.

Ci siamo incontrati da Canova in piazza del Popolo. Davide è bello; penso che questa sia la virtù maschile più importante per Antonia. Una bellezza volgare ma addomesticata da un modo di vestire trasandato che deve avere imparato col tempo, forse da Antonia.

"La signora è contenta di lei," ha esordito.

"Credo non sia molto contenta che io scriva questo libro. Me l'ha anche detto."

Davide fa un gesto con la mano mentre mi mette lo zucchero nel caffè.

"Antonia ha un carattere difficile, è sempre stata così. Pensa che niente vale la pena, è napoletana. Lo sa che le ho tolto di mano alcune opere che voleva gettare? A proposito, vuole che le mostri i pezzi che non sono nei cataloghi e alcuni libri."

"Mi ha detto che lo fa solo per soldi."

Davide sorseggia il caffè, sorride.

"Antonia è ricca, ma da quando è anziana è diventata tirchia. No, non è per denaro."

"Allora perché? Detesta commuoversi, tirare fuori i ricordi e parlare di sé."

Davide mi offre una sigaretta che rifiuto e se ne accende una prima di rispondere.

"Non lo so, un giorno se n'è uscita con l'idea del libro. Si annoia da quando non lavora più. Comunque non si fidi, è molto furba. Ho abitato da lei per tre anni. Tutti pensano che ne approfittassi. Io volevo solo guardarla lavorare e stare in sua compagnia. Antonia non è né buona né cattiva, è candida e intransigente come una bambina. Il resto ha poca importanza. Ha un tale talento. È così ricca d'esperienze e di vita. Ma è anche furba, per questo non le creda mai quando si commuove. Detesta i sentimentalismi. È pronta a raccontarle tutto di sé. Lo farà senza problemi e sarà per lei una grande esperienza, lo è per tutti quelli che l'avvicinano, ma non le dirà mai la ragione delle sue azioni."

"Quando posso vedere questo materiale?"

"Quando vuole. Conosce il suo vecchio studio?"

"Nella Villa Strohl-Fern?"

"Sì."

"Non pensavo l'avesse ancora."

"Non l'ha mai dato via e lo stato non gliel'ha mai richiesto. È uno dei pochi studi d'artisti rimasti. Meglio andarci di pomeriggio, la mattina ci sono..."

"I bambini della scuola francese."

"Antonia le ha detto tutto."

"Non proprio. Comunque preferisco andarci lo stesso di mattina, anche i miei figli vanno a scuola."

Ho dato appuntamento a Luca davanti alla galleria d'Arte moderna. Abbiamo discusso tutta la notte e non ci siamo riappacificati. Dopo la litigata sono andata a dormire nel letto di Giovanni, non sopportavo il suo respiro. Quando mi sono infilata nel suo letto, Giovanni si è svegliato. Mi ha guardato in silenzio, – forse ha pensato che era un sogno – e poi mi ha preso la mano tra le sue. Questa mattina Luca mi ha telefonato subito dopo avere lasciato i bambini a scuola: "Ti devo parlare".

Mi sento stremata, non volevo discutere con lui prima di andare al vecchio studio di Antonia.

Luca sa passare ad altro dopo avere discusso con me; io no. A me fanno male tutti i muscoli del corpo come se avessi combattuto su un ring.

Mentre l'aspetto davanti al museo ho paura che voglia dirmi qualcosa che non riguarda la discussione di stanotte. Forse ha un'altra e non mi ama più. Penso sempre a queste eventualità. Non mi sembra naturale che due persone si amino tutta la vita, sarebbe troppo bello. Perché dovrebbe capitare a noi?

Forse stiamo per lasciarci. I bambini sono ancora così piccoli! Forse il nostro amore sta finendo. Nelle ultime settimane non facciamo che rimproverarci, aspettiamo che l'altro sbagli per poterlo riprendere. A me dà i nervi la calma con cui affronta ogni situazione; a lui la mia agitazione. La sera, quando m'infilo nel letto, gli dico: "Come sono stanca!". E lui risponde subito: "Anch'io".

Nessuno dei due vuole mostrare all'altro d'avere voglia di fare l'amore per paura di non essere ricambiato. Se mi dice che non mi ama più, mi getterò sotto un treno come Anna Karenina.

Lo vedo arrivare da lontano, allora sussurro il giuramento delle situazioni estreme: "Giuro di non scrivere più".

Lo faccio ogni volta che penso possa succedere qualcosa ai bambini o a Luca. In quei momenti il mio lavoro mi appare vuoto di senso, marginale. Al centro ci sono loro e mi sento pronta a rinunciare alla scrittura. Anzi, mi sembra che da quella rinuncia dipenda la loro sopravvivenza. Sono colpevole di avere osato pensare a qualcosa che non sia la loro vita, la cosa più preziosa che ho. Il cielo mi punirà.

63

"Ciao," dice senza darmi un bacio.

Donne vestite di nero popolano all'improvviso la mia mente. Si lamentano, urlano, piangono: nessuno vuole stare accanto a loro; come appestate abitano caverne scavate nella roccia, sono sporche e puzzano. Questo è il destino di chi abbandona i figli e l'uomo. La vita non perdona.

Ci sediamo all'interno del bar del museo. Ho un dolore alla bocca dello stomaco e tremo tutta.

"Prendi qualcosa?" mi chiede scuro in volto.

"Un caffè e tu?"

"Niente, l'ho già preso."

Sì, è chiaro che vuole farla finita.

"Chiara, io penso che questo lavoro..."

"Sì, hai ragione, ho deciso di non farlo. Non ci tengo poi molto. È un libro come tanti altri. Mi assorbe troppo. Ci penso sempre e questo non va bene."

Mi guarda interdetto, senza parole.

"Pensi davvero che io voglia questo?"

Mi viene da piangere ora, e non devo. Sono stata una stupida, lui è troppo intelligente.

"Scusami, dico sciocchezze, sono stanca. Questa notte non ho dormito."

"E chi ha dormito? Ho pensato che hai bisogno di un po' di riposo. Con i bambini, il lavoro, non puoi fare tutto. Se vuoi scrivere questo libro, devi andare via per un po'. Mi organizzerò, non è poi così difficile."

Sento che le lacrime sono pronte a scendere.

"E dove vuoi che vada?" gli chiedo.

Lui mi prende la mano ma io gliela sottraggo. Tutto va come deve andare, come sempre.

"Chiara, perché piangi? Non voglio che tu vada via, ti volevo aiutare. Sei così nervosa, ti arrabbi subito."

"Non voglio andare via, perché dovrei? Vai forse via tu quando devi lavorare?"

Mi guarda e mi sorride.

"Per me è diverso, io mi faccio coinvolgere meno di te dai bambini."

Mi asciugo le lacrime. Ora mi sale una rabbia terribile.

"Già, ti organizzi meglio."

Mi fissa freddo, senza amore.

"Era per aiutarti. Ma tutto quello che faccio è sbagliato. Sei eccessiva, Chiara, questo è il tuo problema."

E pensare che neanche immagina le mie fantasie sulle donne nere, i giuramenti e tutte le altre scaramanzie che faccio a ogni passo. Ora con lucida intelligenza tirerà le fila di quello che ho detto e m'inchioderà alla mia stupidità.

"Prima pensi di rinunciare al tuo lavoro solo perché immagini che lo voglia io. Non mi verrebbe mai in mente di chiedertelo, mi piacciono i tuoi libri. Secondo: pensi che io ti voglia cacciare da casa quando cerco di aiutarti."

"Non mi ami più come prima."

Restiamo in silenzio mentre il ragazzo del bar mi serve il caffè. Lui paga subito. Ha fretta, penso, deve andare all'università.

"Chiara, io ti amo più di prima."

"Quando devo scrivere un libro, tutto si guasta tra noi."

"Non è vero..."

Lo interrompo subito, non voglio che vada avanti con la sua logica. La sento finta, inadeguata a capirci.

"No, ascoltami. Io sono pazza, hai ragione, lo sono. Ma so che tu non ami le persone che incontro per i miei libri. Ami i miei libri quando sono finiti, è vero, ma non gli estranei che entrano nella nostra vita. Cominci ad amarli quando sono già sepolti ognuno nel loro bel libretto."

Luca scoppia a ridere. Mi piace tanto quando ride, vorrei riuscisse a farlo a comando. Gli occhi neri diventano due fessure furbe. Lui è così: furbo e intelligente.

"Sì, forse hai ragione. Non parli d'altro, però, lo devi ammettere."

Gli prendo la mano e gli sussurro.

"Ho voglia di fare l'amore, andiamo a casa."

Ride di nuovo e poi mi dice, sussurrando come ho fatto io:

"Non possiamo, oggi c'è la portiera che stira. Quando scrivi un libro, non ti ricordi di niente".

Ci guardiamo. Allo stesso modo ci siamo fissati a quella festa di molti anni prima.

Il vociare dei bambini nei giardini della Villa Strohl-Fern è assordante. Per gli artisti doveva essere una tortura. Per i bambini una fortuna giocare nel parco. Umida e scura la vegetazione si arrampica sulle casette rosse, sugli edifici di stili più strani.

Affretto il passo, sono in ritardo e sto crollando dal sonno. Abbiamo dovuto strapparci dal letto dove eravamo finalmente pronti a dormire. Entrando in casa, abbiamo spiegato alla portiera che ci guardava stupita con il ferro da stiro in mano che eravamo tornati per ascoltare un pezzo di musica alla radio, un brano importante per il nostro lavoro. Ci siamo chiusi a chiave nella stanza da letto, abbiamo acceso la radio a tutto volume. Luca ha cercato una musica in mezzo a tutte le chiacchiere radiofoniche del mattino. Sulla terza rete, fortuna, è uscita improvvisa la cascata di note degli studi di Chopin.

Il nostro amore è durato esattamente come uno degli studi, devo ricordarmi di annotarne il numero. Senza rendercene conto ne abbiamo seguito le variazioni: lente e dolci all'inizio, poi un groviglio crescente e febbrile; nel finale, il primo tema emerge di nuovo, calmo e appagato, un'ottava superiore.

Non ho voglia di incontrare Davide né di visitare lo studio dove Antonia e Giorgio hanno vissuto il loro amore fino al finale tragico. Guardo i bambini giocare e mi sembra giusto che siano stati loro a prendere possesso del parco. Di artisti ce ne sono troppi, di bambini sempre meno.

Una donna, forse un'insegnante, corre nella mia direzione e mi supera. Antonia percorreva ogni mattina quei viali. Dopo aver bevuto il caffè, pensava alle due sculture che più le richiamavano le sue: la maternità di Moore e il *kouros* d'Atene. Usciva lasciando Giorgio addormentato, cercava la solitudine. Lui lo sapeva. Non era mai entrato veramente nella sua anima. Antonia non aveva dato a nessuno l'importanza che attribuiva a quelle ore del mattino, alla gioia di tirare fuori un frammento di braccio dalla pietra. Così annota Michelangelo nei taccuini: i corpi sono nel marmo, io li tiro fuori. Allo stesso modo lavorano i palombari nelle navi affondate per portare in superficie i tesori e gli scheletri. "Accanto a ogni tesoro, c'è uno scheletro," mi raccontava un palombaro genovese che conoscevo.

Era uscita anche quella mattina e non si era accorta che lui l'aveva lasciata per sempre. Di solitudine da quel giorno ne avrebbe avuta quanta ne voleva. È la prima cosa che mi ha raccontato, penso mentre supero il bosco di bambù e mi avvio verso l'ultimo vialetto a destra. Passo davanti a delle aule aperte e vuote, ci sono solo gli zaini e i libri abbandonati sui banchi. L'ultima casetta rossa a due piani è la sua. La porta è accostata e dopo aver bussato, entro. Supero un piccolo ingresso con una scala che porta al piano superiore ed entro nella stanza a pianoterra. Su un tavolo coperto da un lenzuolo c'è un biglietto di Davide: "Stia pure quanto vuole. Le chiavi può darle al portiere di Antonia".

In un angolo ci dev'essere stata una cucina, con delle assi per le pentole attaccate ai muri. Ci sono ancora la cappa e i chiodi che reggevano le mensole. Accanto al muro, una sedia sfondata. Non ci sono mobili, solo tavoli da lavoro coperti da teli. Scosto piano il telo di uno dei tavoli. Vecchi strumenti da lavoro ricoperti di polvere sono allineati in ordine. Uno scalpello ha la punta sbeccata; un trapano sembra immobile da cento anni. Il secondo tavolo è più interessante; una fila di bronzi grezzi di piccole e medie dimensioni. Guardando meglio appaiono delle forme abbozzate. Il bronzo sembra rifinito in alcuni punti e poi abbandonato. Mi chiedo se siano questi i pezzi che Antonia vuole mostrarmi. Li osservo uno dopo l'altro e di colpo mi appare chiaro che formano i pezzi di una stessa scultura non saldata. Vedo chiaramente in ognuno il punto della saldatura. Accosto i due pezzi estremi, in modo che combacino. Sì, è la stessa forma, smembrata. Cosa rappresenta? Un corpo, penso immediatamente e poi mi accorgo che in due pezzi contigui sono scolpite due teste, una di faccia e l'altra di nuca, appena visibili, appena abbozzate, strette una all'altra. Due corpi in lotta? Un uomo e una donna abbracciati? Non si può capire.

Nell'ingresso la rampa di scale porta in una bella stanza, grande come quella sottostante ma piena di luce. L'altra, ora mi accorgo, era umida e scura. In questa le assi bianche del pavimento rivelano il posto dei mobili, del letto, di un comò o di un armadio. Ora la stanza è semivuota: una libreria con pochi libri, una cassapanca, un tappeto arrotolato. Scorro i libri: una collezione di gialli; un catalogo delle opere di Marino Marini; saggi sulla scultura degli anni cinquanta e sessanta; alcuni romanzi. Mi fermo incredula su un'edizione delle *Mille e una notte*. La tiro fuori: non è quella che leggevo da bambina, grande, con la copertina verde e i bordi dorati, le illustrazioni a colori e in bianco e nero all'interno. Questa è per adulti, in arabo. La sfoglio e mi sembra di nuovo che Antonia mi nasconda qualcosa, mi porti da qualche parte senza che io me ne renda conto.

Nella cassapanca ci sono una decina di cartelle, su ognuna qualcuno ha scritto delle date. All'interno vecchi articoli di giornale parlano di Antonia. La raccolta va dalla fine degli anni cinquanta ai primi anni settanta. Seduta per terra li scorro rapidamente; mi fermo sulla fotografia di un gruppo di artisti in posa per una collettiva. È impossibile pensare che tra loro ci sia la stessa donna che ho incontrato. Ce ne sono due nel gruppo: una ha i capelli corti, è piccola e magra; l'altra porta i capelli scuri raccolti in una coda, il viso ridente, la bocca larga e gli occhi strizzati per il riso. Immagino che sia lei. Con una lente d'ingrandimento potrei percepire i dettagli, l'espressione degli occhi forse è rimasta la stessa. La fotografia ripresa dal giornale si è sbiadita e restituisce solo la risata.

Le urla di un gruppo di bambini che corrono nel viale mi arrivano lontane.

Esamino altre fotografie di Antonia in bianco e nero, in posa, forse scattate per un catalogo. I vestiti sono anni cinquanta, così il trucco: la riga sugli occhi, il rossetto. Antonia è sensuale; più bella da donna che da bambina. Altre tre fotografie scivolano per terra. Antonia in costume da bagno, seduta su una roccia accanto a due amiche. Dietro i loro volti, i faraglioni di Capri. Le tre donne hanno forse trent'anni. Una di loro è più giovane delle altre. Antonia la guarda e le sorride protettiva, il braccio appoggiato sulla spalla. La stessa ragazza compare anche nelle altre fotografie: una tavolata in un posto di mare, forse sempre Capri. Uomini in camicia estiva, le sigarette in bocca; tra loro Antonia, la ragazza della foto e altre donne.

Nell'ultima foto la stessa ragazza è sola, si sta chiudendo un orecchino davanti allo specchio, è pronta per uscire: si è messa un vestito da sera, gli orecchini, la collana di perle. Una bella fotografia, nitida come un ritratto. Mi chiedo chi stia nascosto dietro le spalle della ragazza con la macchina fotografica. Lei non l'ha notato, se no alzerebbe lo sguardo, sorriderebbe al fotografo innamorato. Lui ha visto la bellezza di lei, la vuole catturare, insieme all'espressione malinconica degli occhi bassi, assorti. La ragazza ha i capelli scuri, lunghi fino al collo, un'onda le sfiora la fronte; il naso è pronunciato e gli occhi sembrano chiari, quasi trasparenti. Penso d'un tratto che si tratti della sua amica Malù. Il periodo coincide, è lo stesso della trattoria in via Margutta. Chissà perché mi sembra che questa fotografia sia stata scattata dopo le altre, come se a quella ragazza fosse accaduto qualcosa tra la prima, in costume, con le amiche davanti ai faraglioni, e questa in cui si prepara per andare a una festa. Seguendo un impulso che non so spiegare, infilo la foto nella borsa insieme ai ritagli di giornale.

Srotolo il tappeto sul pavimento vuoto della stanza. È persiano antico; i fili rossi e turchesi si sfilacciano qua e là ai bordi. Al centro ci sono dei segni di sigarette cadute e una macchia di colore, forse pittura rossa. Il tappeto odora di muffa e polvere, ma è così morbido e spesso che non posso resistere e mi ci stendo sopra.

Altre grida di bambini mi giungono dal basso. Penso ai miei a scuola, all'amore mattutino e riparatore con Luca. Ad Antonia giovane donna com'è nelle fotografie, alla sua vita di quegli anni che non conosco. Chi è la ragazza dello specchio? Perché Antonia ha conservato nel suo vecchio studio quelle foto, i ritagli di giornale e la scultura a pezzi al piano di sotto? Il tappeto su cui sono stesa, perché è lì? L'odore di muffa, di polvere e di vernice m'inebria come quello della trielina che aspiravo di nascosto da bambina. La rubavo dall'armadio bianco della cucina, dove c'erano le scope e i detersivi, quando neanche il libro riusciva a farmi evadere dalla nostra villa. L'odore pungente mi stappava. Chiudevo gli occhi e mi pareva di uscire finalmente da me stessa, di vedere tante possibili storie intrecciate tra loro come fili di un tappeto.

Chiudo gli occhi e mi addormento come il principe Shanizar nel giardino del sultano Ahmed.

Sono leggera come la piuma che sfugge al cuscino del mio letto di bambina e mi solletica l'orecchio. Potrei volare sopra il giardino degli aranci della villa accanto alla nostra. La nonna non mi permette di mangiare le arance appena colte dagli alberi; vuole anzi che le sbucci con il coltello e la forchetta a spicchi perfetti come i petali di un fiore. Lei riesce a farlo, senza mai toccare la buccia con le mani. Mio padre ride dei miei tentativi maldestri.

"Neanche nelle ambasciate si usa più!" dice e mi salva da un'impresa impossibile.

Nella villa vicina, quella degli aranci, c'è un ragazzo. Fa il giardiniere ed è il primo uomo che mi nota.

Leggevo seduta con la schiena appoggiata a un albero e lui ha fatto una pernacchia nella mia direzione. Appollaiato sulla cima di un albero d'aranci, mi guardava sfrontato e libero come il barone rampante. La libertà mi ha attratto nel suo sguardo chiaro e anche l'estraneità. Il libro che avevo in mano era *Cime tempestose*, così ho pensato che lui fosse il mio Heathcliff.

Ho fatto l'amore a quindici anni, nella stanza sotto a quella di mia nonna. Lei russa come un uomo e quando dorme non sente niente. È per via di quel ragazzo che l'amore fisico ha preso tanta importanza per me. Non perché lo facessimo bene. Eravamo maldestri. Passavamo il tempo a guardarci e accarezzarci. Ci baciavamo soprattutto, trattenendo l'aria e respirando poi con le bocche incollate, in modo che i fiati si mischiassero e diventassero uno. Intrecciavamo i piedi e ci leccavamo per scambiare i sapori, non per eccitarci. Non avevamo idea che ci fosse un traguardo da raggiungere. Anche lui ne sapeva poco. Eppure era più grande di me, lavorava e andava in giro quanto voleva. Ci vergognavamo a parlare, potevamo solo toccarci.

Al mattino, quando andava via, odorava di me e io di lui. Gli regalavo un libro. Ogni notte un romanzo diverso; ce n'erano tanti nella libreria in camera mia. "I soldi per i libri sono soldi spesi bene," diceva mio padre, contrastando la madre che pensava si dovesse leggere solo la sera, per premio.

Ero la sua Sherazad quando sceglievo la storia giusta per ogni notte passata insieme. Gli regalai tutti i libri della mia camera. Li leggeva? Li teneva nella sua stanza come trofei? Li vendeva, o forse li regalava a un'altra donna? Non riuscivo a farlo andare via senza un volume. Lo rigirava un poco tra le mani e poi leggeva il titolo ad alta voce, scandendo bene le sillabe. Con quelle uniche parole, all'alba, ci lasciavamo. Sì, erano soldi spesi bene, pensavo, rigirandomi nel letto, prima che suonasse la sveglia. Alla ricerca dei ricordi della notte, mi accarezzavo da sola pensando a lui. Mi sentivo leggera come la piuma sfuggita al mio cuscino. Volteggiava nell'aria della stanza, in controluce, fino alla finestra aperta sulla luce rosa dell'alba e poi volava via chissà dove come il mio compagno notturno.

Una notte trovò la finestra chiusa. Ero partita per una vacanza senza avvertirlo, non avevo più voglia di incontrarlo.

In quei giorni mio padre mi aveva raccontato la fuga di mia madre a tre anni dalla mia nascita, i suoi numerosi tradimenti. Aveva saputo della sua morte e aveva trovato giusto parlarmene, per la prima volta. Era morta di tumore a quarant'anni. La loro vita insieme, la presenza di lei nella mia si legarono ancora di più e per sempre alla sua scomparsa.

C'era un distacco glaciale nelle sue parole. Parlava di lei e mi sembrava che rivelasse in realtà il suo modo di vedermi, di preoccuparsi per il mio futuro.

"La prima virtù di una ragazza è il rispetto di sé. Se una donna si rispetta, sarà rispettata anche dagli uomini."

Si erano incontrati a una festa della buona società genovese cui mio padre apparteneva. Lui andava a feste tutte le sere, si annoiava. Guidava come un matto sulla costa dalla città alla villa in cui già abitava, si ubriacava e cambiava donna. Lavorava inutilmente in uno studio legale, aveva ereditato il patrimonio del padre morto. Avrebbe voluto viaggiare per un giornale, ma mia nonna si era già rivestita di nero dentro e fuori e lo ricattava con la sua solitudine di giovane vedova.

Mia madre era apparsa alla festa con un vestito rosso, fuori luogo...

L'ho ritrovato in un armadio del guardaroba, sembrava un costume di carnevale perso tra gli abiti grigi di mio padre. L'unica traccia di lei che lui non aveva cancellato. Odorava di muffa e polvere. Non ho mai osato chiedere.

Avevano ballato insieme tutta la sera.

"Teresa ballava bene; faceva bene molte cose. Aveva un grande senso estetico. È lei che ha risistemato le nostre stanze qui in villa dopo il matrimonio. Non ho mai capito da chi l'avesse preso. Sua madre era una donna modesta, una bella napoletana di estrazione popolare. Aveva sposato il marito credendolo un buon partito. In realtà era un avventuriero. Le ha fatto fare tre figli e poi si è dileguato. La bellezza di Teresa era l'unica ricchezza rimasta a quella donna, non si può biasimarla troppo per averla messa in vendita. Prima a Napoli e poi qui."

Le parole di mio padre erano piene di disprezzo, di superiorità. L'unico sentimento che ancora lo scuoteva trapelava dal modo in cui pronunciava il nome di mia madre. Anche per me il suo nome era incantato. *Teresa.* Conteneva tutto e niente. Non sapevo nulla di lei. Per tutta l'infanzia avevo colmato quel vuoto di ipotesi. Prima favole prese in prestito dai libri; poi sogni che attribuivo anche a lei. E ora arrivavano quelle rivelazioni che mio padre aveva scarnificato da ogni emozione. L'aveva amata, aveva sofferto per la sua assenza? Me lo chiedevo ascoltandolo parlare. Ora ero capace di vederlo oltre l'amore che mi aveva ispirato durante l'infanzia, di intuire dietro la fuga di mia madre anche una sua inadeguatezza.

Mio padre era alto e aveva mani lunghe. Tremavo quando mi accarezzavano la guancia, la sera, prima di andare a dormire. Era un gesto distratto, sembrava senza amore. Più tardi ho scoperto che il sentimento per me lo spaventava; mi toccava appena la guancia con la punta delle dita sottili perché trovava il nostro rapporto imbarazzante, pericoloso. Allo stesso modo toccava il romanzo che tenevo tra le mani, con la punta delle dita. Lui leggeva solo saggi di storia e biografie di statisti, fino all'alba, chiuso nello studio.

"Storie vere, non come i tuoi romanzetti."

Mi diceva ridendo che avrei fatto la fine di Emma Bovary. Vedendolo leggere solo, la sera, pensavo che somigliava al marito di Emma, forse per questo temeva tanto i romanzi. Da quando era tornato dai suoi viaggi era infelice. Scriveva articoli e recensioni per qualche rivista. Mia nonna l'aveva costretto a rientrare per me, ma io sapevo che era lei a volerlo accanto.

Non mostrò commozione per la morte di Teresa avvenuta chissà dove, ma considerò che fosse venuto il momento di parlarmene.

"Teresa non poteva essere fedele a nessuno perché non si rispettava."

Non avevo forse fatto la stessa cosa con il giardiniere? Non ero pronta a regalare i miei libri a chiunque per un po' d'amore? Dovevo stare attenta, fuggire dalla mia natura che era simile a quella di Teresa.

6.

Ho aperto un file nel computer con la sintesi delle nostre conversazioni e del materiale raccolto su di lei. Lo faccio sempre. Ancora non è il file del libro. L'ho chiamato *Matrioška*, perché mi pare che Antonia assomigli a una bambola russa che ne contiene altre più piccole, tutte con i pomelli rossi e gli occhi bistrati. Rileggendo gli appunti per l'incontro di domani, mi sono accorta che manca tutta la parte della vita a Roma. Domani le parlerò delle sedute con domande. È una prassi che adotto sempre. Nei primi incontri è giusto che l'intervistato parli a ruota libera, senza intralci. La memoria ha le sue priorità emotive e il biografo deve conoscerle. Lei per esempio parla volentieri dell'infanzia e della vecchiaia ma non ama raccontare il lavoro né il periodo dei successi, la parte più importante della sua vita adulta. Succede spesso. Quando si è anziani, si tende a saltare il tempo delle realizzazioni, come se non contasse. E la fine e l'inizio contenessero già tutto. Faccio le sedute con domande proprio per questo, per riequilibrare la materia. I capitoli devono avere più o meno la stessa lunghezza e l'arco della narrazione non può presentare lacune. Non è così nei romanzi, ovviamente, ma nelle biografie sì. Nei romanzi i silenzi sono più importanti delle parole.

Se dovessi scrivere un romanzo su Antonia, partirei dalla

fotografia della ragazza che ho trovato nel suo vecchio studio. Dalla fotografia e dal tappeto arrotolato con il segno delle sigarette spente. Penso che su quel tappeto si siano amati molte volte con Giorgio, ed è per questo che lei l'ha lasciato lì, insieme alla scultura fatta a pezzi e alle foto degli anni cinquanta. La fotografia della ragazza sarebbe il mistero del mio romanzo. Ogni vero libro contiene un mistero ignorato anche dall'autore. Chi scrive e chi legge sono accomunati dalla stessa passione di svelarlo. Lo fanno insieme, in un cammino comune, in cui al lettore pare di essere portato, mentre lo scrittore non sa la strada né la direzione.

Il biografo invece deve sapere dove va. Mi auguro che sia tornata dalla Francia di buon umore. Davide mi ha detto per telefono che ha venduto una scultura realizzata cinque anni fa, e che l'hanno festeggiata dei vecchi amici. Preferisco che ritorni. Non mi piace lavorare su illazioni e ipotesi. Nel caso di Antonia mi riesce ancora più difficile. Da quando l'ho incontrata sono assediata dai miei ricordi, li mischio ai suoi. Non mi è mai capitato prima. Anche la mia vita familiare ne risente e per una donna è molto difficile rinunciare all'armonia della propria casa. Tante volte ho pensato – senza astio – che un uomo che scrive è come un impiegato che va al lavoro. Siede alla sua scrivania. Nessuno ha toccato le sue carte, o forse la moglie, se ne ha una, le ha riordinate con rispetto. La sua scrivania è nello studio della casa dalle molte stanze in cui la moglie fa tacere i bambini o in una mansarda bohémienne dove vive con la giovane amante che tace a sua volta quando lui lavora, oppure scrive in piedi davanti a un leggio in un accampamento nel deserto africano perché non gli piace essere un intellettuale. Non fa differenza.

In ogni caso non dev'essere altrettanto creativo nella vita privata. Sei anni fa, quando ho scritto la prima biografia, ho deciso che la mia attività creativa sarebbero stati Luca e i bambini.

Ho provato a scrivere un romanzo quando ero incinta di

Giovanni. Forse più un racconto lungo. Eravamo in montagna in vacanza, scrivevo la sera. Luca andava a letto a leggere e io tiravo fuori la macchina per scrivere dalla custodia, la mettevo sul tavolo da pranzo del residence. Nella stanza permanevano gli odori della nostra cena. Gli odori di cibo favoriscono la scrittura, ti portano in stanze fumose divise da tanta gente che ha una storia da raccontare. Avevo bevuto il vino a cena: un solo bicchiere per via del bambino. Sentivo un desiderio fortissimo di scrivere: vedevo stanze di case che non avevo mai visitato, treni in corsa, spiagge limate dal vento, cortili dove risuonavano urla e richiami.

Iniziavo a scrivere e il sonno mi faceva la posta come un nemico. Saliva dal ventre, come se il mio bambino richiedesse a gran voce: "Stenditi un poco, mamma, dormi... che t'importa di scrivere... vai nel letto caldo vicino a papà, tra poco ci sarò io al centro delle tue giornate. Dimentica tutto, dormi, mamma...".

Combattevo una battaglia persa, non c'era speranza. Mi stendevo accanto a Luca, gli toglievo il libro dalle mani, spegnevo la luce. Nel sonno lui mi abbracciava felice. Sognavo le stanze di cui avrei voluto scrivere. Talvolta anche storie in costume e vicende intricate come le favole della mia infanzia.

Le ho raccontate ai bambini, quelle che conoscevo e quelle che inventavo solo per loro. La voglia di scrivere romanzi è svanita con la nascita di Giovanni. Non volevo più discutere con Luca su chi dovesse alzarsi di notte, non mi pareva un argomento interessante. Giovanni era molto più vitale delle nostre discussioni. E poi mio padre non dava grande importanza ai romanzi.

Le biografie sono storie vere, concrete, come i libri di storia, e mi hanno procurato una certa reputazione e soldi. Così non posso lamentarmi.

Eppure se ascolto la sua voce nel registratore che racconta di Ischia, dei fratelli, della torre di Michelangelo, subito la mente va ai miei ricordi d'infanzia, davanti a un mare molto distante dal suo, in una solitudine che lei non ha conosciuto. Questo rivangare nella memoria non va bene – neanche lei ne è molto soddisfatta –, ma io non sono parte in causa. Devo narrare di lei, mi pagano per questo.

Ieri sera, per esempio, mentre facevo l'amore con Luca, mi sono distratta a pensare a quel romanzo che non ho mai finito di scrivere, quando aspettavo Giovanni. Luca mi ha letto negli occhi un pensiero lontano da lui e si è fermato di colpo. La paura della sua reazione mi ha raggelato.

"A cosa pensi?"

"A niente, perché?"

Si è steso accanto a me. Di colpo mi è venuto in mente il giovane giardiniere della villa degli aranci. I libri che gli regalavo dopo ogni notte d'amore. Ho pensato che il romanzo che non avevo mai scritto durante quella vacanza in montagna, l'avevo regalato a Giovanni e forse in parte anche a Luca, che la storia con il giardiniere era una premonizione del mio futuro.

"Cos'è che non va, Chiara?" mi ha chiesto.

Come avrei potuto spiegarglielo? Avrebbe in ogni caso pensato che ero lontana. Comunque era più comprensibile essere distratta dal lavoro che da un ricordo.

"Non ti arrabbi?"

"Perché dovrei? Non è un obbligo, è un piacere."

Ho subito pensato a una donna tenera e sottomessa che lo avrebbe amato ogni volta con piacere, senza distrarsi. Mi sono stretta a lui e ho nascosto il viso nell'incavo del suo collo.

"Scusami, è questo libro, questo maledetto lavoro. Lo lascio, voglio lasciarlo. Dopodomani la vedo e glielo dico."

C'è stato un lungo silenzio. Forse si era addormentato. Poi la sua voce netta mi ha inchiodato.

"Sei stata da tuo padre, oggi?"

L'ho fissato nell'oscurità, cercavo di distinguere i lineamenti, l'espressione degli occhi.

"Sì, nel pomeriggio, con i bambini."

"Ti ha riconosciuto?"

"Sì, certo. Almeno, credo di sì. Quando sono arrivata certamente, mi ha sorriso e mi ha baciato la mano. Dopo un po' si è stancato e si è addormentato. Perché me lo chiedi?"

"Succede ogni volta che vai da tuo padre."

"Cosa vuoi dire? Ci vado ogni settimana..."

"È giusto, è solo."

"E allora?"

Si è girato sul fianco, come se avesse voluto darmi la buonanotte.

"Non devi tormentarlo e non ti devi tormentare. Non ha avuto fortuna con le donne, questo è tutto, ma ha avuto molte cose dalla vita, tra cui te."

Le sue parole hanno messo in moto una catena di pensieri. Da quando mio padre è malato soffro di un senso di colpa nei suoi confronti. È immotivato, come dice Luca, ma domina i nostri incontri.

Mio padre vive in un appartamento accanto al nostro. L'abbiamo comprato dopo che ha avuto l'ictus e per lui sarebbe stato impossibile continuare a vivere da solo nella villa sulla costa ligure. In una settimana ho venduto la casa della mia infanzia, ho organizzato il trasporto di mio padre e la sua nuova vita. Ero stupita anch'io della mia efficienza.

Ho regalato una quantità di oggetti di famiglia, ricordi, e libri, quelli di mio padre questa volta. Senza un rimpianto, senza dolore, senza sensi di colpa per lui e per mia nonna che ne sarebbero morti. Lei lo era già da dieci anni, e lui aveva iniziato a vivere in quella memoria che non ha più bisogno di realtà tangibili. Vedevo i loro volti mentre regalavo coperte, lenzuola, piumini, tappeti; le pentole svizzere, le presine – tutte lavorate da mia nonna all'uncinetto –, i cappelli di mio padre e i suoi vestiti da cerimonia, e casse di libri alla mia scuola, agli amici. I mobili li avevo venduti con la casa. Per me avevo tenuto solo la macchina fotografica di mio padre – quella dei viaggi per il giornale – e una foto di Teresa trovata nel suo comodino. Una foto strappata da un vecchio rotocalco ingiallito. Avevo pensato che si trattasse di mia madre dal fatto che lui l'aveva conservata tutti quegli anni, ma del volto di Teresa non si vedeva quasi nulla. Avevo già smesso di cercare notizie su di lei. Mia nonna – quella che l'aveva messa in vendita, come diceva mio padre – era già morta. Mi restavano degli zii napoletani che non avevo nessuna voglia di incontrare.

E poi, quando tutto sembrava sistemato, e non c'era più nulla nella nuova vita di mio padre che ricordasse la vecchia, era nato quel senso di colpa verso di lui. Immotivato, come diceva Luca. In viaggio o in vacanza mi attraversava il pensiero dei suoi occhi che vagavano lontani, e lo vedevo seduto sulla sedia a rotelle ad aspettarmi. Se io non fossi nata, mi veniva da pensare, come un'adolescente. Si era separato anche dalla seconda moglie, la ragazza amica di famiglia, con cui sua madre avrebbe voluto vederlo sposato da giovane. La donna pallida che lui aveva deciso infine di sposare, quando si preoccupava per me, in quei famosi anni che non lasciavano tranquilli nessuno.

Sì, era vero, ogni volta che sedevo accanto a lui, cercando di incontrare il suo sguardo o mentre gli raccontavo le notizie del giornale, quel pensiero si formulava da sé: ero io l'origine della sua sciagura. Forse Teresa era rimasta incinta prima del matrimonio e aveva usato la gravidanza per farsi sposare. Forse l'idea era stata addirittura della madre a caccia di un buon matrimonio per la figlia, così mi aveva raccontato mio padre. Un matrimonio che potesse aiutare tutta la famiglia. Tra donne ne avevano parlato insieme un giorno: "È bello, ha i soldi, è un uomo per bene". Così avevano parlato di lui. Forse, forse... lo fissavo negli occhi per capire la verità. Forse quell'uomo dallo sguardo liquido, di cui avevo paura da bambina, che era la mia famiglia, l'uomo per bene, non era mio padre. Per questo non ci eravamo mai capiti e io avevo paura dei miei pensieri, dei miei desideri, quando mi guardava.

Tornando a casa con i bambini, mi vergognavo di quelle illazioni da fotoromanzo, ma per tutta la giornata restavo malinconica, mi distraevo facilmente, come ai tempi in cui pensavo ancora che avrei potuto scrivere romanzi e la mente imbastiva da sola inizi di storie.

Sì, aveva ragione Luca. Lui mi conosceva bene. E ora sembrava avesse indovinato com'era andato quel pomeriggio con mio padre.

"Oggi non ti voglio raccontare le notizie del giornale, papà. Non è successo niente di nuovo. Ti voglio raccontare di me. Ho conosciuto una donna, si chiama Antonia. È un'artista, una scultrice. Sarà il personaggio del mio nuovo libro. No, non un romanzo, per carità, una storia vera. La storia della sua vita. Mi pagano, certo. Mi hanno già dato un anticipo, così ora sono obbligata a farlo, anche se a volte vorrei non rivederla più. È una donna autoritaria, piena di energia. A volte penso che si sia mangiata tutti gli uomini che ha conosciuto nella vita. È molto grassa e porta certi strani caftani colorati; sai, somiglia un po' a Régine, la bambinaia francese, te la ricordi? Anche Régine era grassa; tu e la nonna la prendevate in giro perché dopo cena rubava i biscotti dalla cucina. Li portava a letto. Aveva sempre fame, mi diceva, e la notte si svegliava di soprassalto perché era convinta che non ci fosse più nulla da mangiare in casa. Tu e la nonna non avevate mai fame. Vi bastava una minestrina la sera, un pezzo di carne e un frutto. Nonna sceglieva sempre quella marcia perché non venisse gettata. Così anche quella fresca, aspettava che fosse marcia per mangiarla. Nessuno era capace di convincerla a scegliere il frutto migliore. Régine e la cuoca una volta decisero di presentarle in tavola solo frutta appena comprata. Lei si alzò, appoggiandosi al bastone più per vezzo che per necessità, e andò in cucina. Nell'immondizia, con le mani, cercò la frutta marcia che la cuoca aveva gettato, la fece lavare e la mangiò. La cuoca non venne licenziata giusto perché tu non lo avresti permesso. Piangeva, piangeva come una bambina. Ti ricordi, papà? Non dormire, alza la testa, guardami negli occhi. Antonia mi ricorda un po' Régine. Anche lei sa raccontare e non ci si annoia, ma dopo si resta turbati, con la testa piena di strane idee e pezzi di storie che non si sa da dove siano sbucati fuori. Ogni volta che riascolto la sua voce nel registratore, e prendo appunti per il libro, si srotolano nella mente altre storie, come i sogni che si fanno di notte dopo una giornata di emozioni.

"Régine mi raccontava storie di paura la sera, mentre mangiava i biscotti rubati. Al suo paese, nell'Alta Savoia, c'era un uomo con due teste: con una rideva e baciava e con l'altra sputava e mordeva. Viveva con la madre ai margini del paese, e da tutte le valli vicine andavano a vederlo. Con la bocca che apparteneva alla testa buona chiamava i bambini dolcemente, mentre con l'altra urlava bestemmie e sputava lontano. Nessuno osava avvicinarsi, tranne la madre che lo nutriva e da cui lui dipendeva. Un giorno l'uomo con due teste s'innamorò..."

Mio padre si è addormentato. Giovanni e Giuseppe, invece, hanno smesso di giocare al videogioco che li tiene occupati nei pomeriggi che passiamo con il nonno, si sono avvicinati e aspettano la fine della storia. Quando dorme, mio padre sembra morto. Mi viene voglia di svegliarlo e gli guardo il petto per vedere se si muove. Non deve morire, penso, non mi deve lasciare. So così poco di lui. Di nuovo il senso di colpa mi taglia il respiro e il battito del cuore accelera.

Avevo tante cose da chiedergli, di Teresa, di lui, della mia infanzia!

"Mamma, mamma! L'uomo con due teste... continua!"

L'uomo con due teste, che me ne importa! Potesse raccontarmi mio padre qualcosa di sé... potessi chiedergli. Ci fosse tempo solo per una o due sedute con domande.

"L'uomo s'innamorò con tutto se stesso, come succede quando si ama veramente, s'innamorò con tutt'e due le teste. Sorrideva con le due bocche, lanciava baci raddoppiati, piangeva con i quattro occhi. La sua prescelta era una ragazza timida. Nessuno la voleva. Così a lei non parve vero di ispirare tanto amore. Si sposarono in una chiesa gremita di curiosi. Il matrimonio fu valido solo quando gli sposi ebbero pronunciato i tre sì: quello della donna e i due del suo sposo. Appena furono soli, le due teste cominciarono a litigare tra loro: 'Vieni qui amore mio!' diceva una. 'No, vieni da me, lui non ti ama!' diceva l'altra. 'Lascialo perdere quel mascalzone!' 'Guai se vai da lui!' 'Se ti vedo che lo baci, ti batto!' 'Prova ad avvicinarti a lui e ti faccio a pezzi!' La ragazza terrorizzata fuggì prima di essere fatta a pezzi, mentre le due teste continuarono ad azzuffarsi e a mordersi. Neanche la madre riuscì a evitare il peggio. Lo trovarono all'alba del giorno dopo: le due teste, a forza di mordersi, erano diventate una sola, e l'uomo giaceva a terra morto."

"Io e Giuseppe non ci mordiamo mai, mamma!" mormora Giovanni dopo un po', con un filo di voce.

Potenza delle storie di Régine! E di quelle di Antonia.

Luca si è addormentato, e ora avrei voglia di svegliarlo, di non distrarmi più.

Sul letto, vicino al suo corpo fasciato dal lenzuolo, raduno i fogli disseminati delle dispense del corso che tiene all'u-

niversità. S'intitolano: *La società mercato*. I suoi studi verto-
no tutti sulla stessa questione: non esistono altre scelte per
l'uomo se non quelle dettate dall'efficienza economica. Il
mercato dirige i nostri pensieri. È diventato pessimista. Da
quando è caduto il comunismo, pensa che ogni speranza sia
morta. Spesso discutiamo del mondo. Lui sostiene che l'eco-
nomia e la tecnologia ormai comandano e nessun pensiero
filosofico è capace di contrastarle. Io penso che è la nostra
generazione, quella cresciuta dopo la guerra con il vecchio
mito del comunismo, a non essere capace di un pensiero veramente nuovo. Luca non accetta l'idea di non essere un
soggetto storico attivo, di non potere trasformare la realtà. A
me invece quest'idea dà conforto. Spesso dico ai bambini:

"Toccherà a voi avere idee nuove capaci di interpretare e
cambiare il mondo".

Loro mi guardano inquieti, non amano questa responsabilità. Mi chiedono che cosa dovranno fare in concreto.

"Dovrete trovare il sistema di ridurre la differenza tra i
ricchi e i poveri del mondo; pulire il pianeta dalle scorie ra-
dioattive; chiudere il buco dell'ozono; fare in modo che la
cultura cresca insieme al denaro..."

"Ma noi non siamo capaci di fare tutte queste cose, mamma..." mi rispondono in coro.

"Poche scuse, noi vi abbiamo messo al mondo e vi cre-
sciamo per questo!"

Fuggono in camera loro a giocare, devono approfittarne,
prima che arrivi l'età adulta e li carichi delle incombenze che
noi non siamo stati capaci di affrontare.

Probabilmente tutto è legato... questa nebbia che avvolge
la vita con mio padre, la fuga di Teresa, il tappeto e le fotografie abbandonate nel vecchio studio di Antonia, la morte
di Giorgio e le misteriose bambine di gesso. Ogni storia suscita altre storie, dalla più piccola alla più grande, e il mondo
è solo il loro immenso, infinito contenitore.

7.

La governante mi ha fatto sedere nel salottino dei souvenir, come la prima volta. Segno che il viaggio a Parigi e l'assenza di due settimane l'hanno allontanata di nuovo. Ho aspettato mezz'ora, poi lei è entrata con grande impeto nella stanza. Ho sussultato e ho provato ad alzarmi.

"Stia seduta," ha ordinato categorica.

È vestita di nero, il volto è pallido e tirato; la trovo anche dimagrita, ma non so se sia l'effetto del caftano scuro. Si lascia cadere come un masso nella poltrona.

"Ha il viso tirato, non ha dormito bene in questi giorni?" mi chiede, rigirandomi la domanda, come se avesse letto nel mio sguardo.

"Dormito, sì certo... normalmente, bene," balbetto presa in contropiede.

"Cosa significa normalmente? O si dorme bene, si sogna e ci si sveglia pieni di appetito e di voglia di fare, o ci si rigira tutta la notte e si pensa troppo. Questa è la mia esperienza. Quando un pezzo non veniva da solo, e ci pensavo tutta la giornata, la notte non riuscivo a dormire. Il letto era una tortura. I miei pensieri astratti una gabbia. Sbattevo alle pareti della mente e non trovavo via d'uscita. Poi un giorno..."

Mi chino per accendere il registratore...

"Aspetti! Le sto facendo una confidenza! Possibile che

lei voglia mettere tutto a profitto, ci credo che non riesce a dormire! Si lasci un po' andare, i frutti migliori si colgono dall'albero del caso. Ascolti."

Mi batte il cuore all'impazzata. La odio, non credo che potrò continuare il lavoro.

"Poi un giorno mi capitava di lavorare a un pezzo ore e ore, senza pensare, senza ragionare. E la notte finalmente dormivo, sogni buoni mi riportavano al lavoro del giorno. Non li ricordavo. Venivano fuori da una parte di me che non conoscevo, parlavano una lingua antica, impossibile da decifrare. Tutto si faceva da solo, non so come, era la felicità. Poi perdevo tutto di nuovo. Il pezzo finito mi sembrava lavorato da una sconosciuta. Chi era? Cosa significava per lei quel gesto? Come aveva fatto a limare con tanta vivacità il contorno del gomito? Da dove le veniva quella forza? Ero di nuovo su una zattera nella tempesta. Le onde sbattevano dentro l'anima; il cuore batteva troppo in fretta. I pensieri si aggrovigliavano. Mi commuovevo facilmente. Trovavo il mondo cattivo. Pensavo spesso al papà e alla mamma come fossi ancora bambina. A quanto erano stati poco comprensivi con me. Passavo ore a lamentarmi con Giorgio invece di amarlo. Mi sentivo una nullità. Guardavo le mani e volevo amputarle, così avrei avuto una scusa per farla finita. Ma neanche questo riuscivo a fare. Mi ci spegnevo su qualche mozzicone di sigaretta. E poi chiedevo a Giorgio di metterci la crema. Poi, quando tutto sembrava perduto, si risvegliava l'altra, dentro di me. Lei è calma, ha pazienza, guance lisce, occhi sognanti e ingenui. Non sa cosa fa, non sa perché, ma lo fa, e ricominciavo a dormire."

"Come si dormiva da ragazze..."

Arrossisco. Mi fissa molto interessata.

"Esattamente. Anche questo sa dall'osservazione dei suoi figli?"

Rido, un risolino timido, odioso.

"No. Mi è successo una volta, prima che nascesse il mio

primo figlio, allora scrivevo un libro. Non come questi di ora, un libro vero. Mi scusi, non volevo dire che... Voglio dire una storia che inventavo io."

"Un romanzo."

"Sì, ma non l'ho mai finito."

"Spesso sono i migliori."

"Il mio non valeva niente. Ma è stato importante provare a scriverlo. Mi sono accorta di non esserne capace. Non ne ho fatto un dramma."

Mi guarda con un sorriso ironico sulle labbra.

"Non ne è morta, ma deve essere stato un brutto colpo."

"Cosa ne sa?"

Non ho nessuna intenzione di continuare ad abbozzare. Restituirò i soldi all'editore. Ci sono migliaia di persone più interessanti di lei.

"Trema come una foglia quando ne parla, si vede che le si è spezzato il cuore."

Una furia mi prende, non so da dove venga fuori.

"Crede veramente? Sa quanti se ne scrivono? Insensati romanzetti che non dicono niente, in cui lo scrittore si compiace della sua scrittura e basta. Preferisco mille volte le biografie. Non ne ho fatto un dramma perché non me ne importava molto. La mia famiglia contava molto di più per me. Ma lei questo non può capirlo!"

Si accende una sigaretta e fuma in silenzio per un po', prima di rispondermi con una voce dolce, da amica.

"E perché non dovrei capirlo? Ho desiderato moltissimo un figlio, credo di averglielo detto. Se fosse nato, l'avrei certo messo in cima a tutto."

"Già, ma non è successo. Avrebbe potuto provarci prima, quando era ancora giovane! Ma in quegli anni aveva troppo da fare e il suo lavoro, i pezzi, contavano più di tutto. Poi è stato troppo tardi. Io non credo che lei abbia veramente voluto avere un figlio... e probabilmente è stato meglio così!"

Ora non mi disprezza, non pensa di avere davanti una nullità. Mi guarda con profondissima antipatia.

"Le madri sanno sempre tutto, eh? Nulla è cambiato. Si sacrificano e vogliono essere risarcite. E le donne senza figli avvizziscono, come si scriveva nei romanzi dell'Ottocento, anche se nel mio caso mi pare difficile sostenerlo. 'Probabilmente è stato meglio così...' Una volta l'avrei insultata per quest'affermazione. Ora le dico che non lo so. Giorgio non era certamente l'uomo giusto per fare un bambino. Forse non mi piaceva avere un rapporto coniugale, anche se per tutta la vita ho pensato di desiderarlo. Mi sono sempre gettata con tutta me stessa nell'amore. Questo non è compatibile con il distacco che gli uomini desiderano da una donna. E non ho mai veramente finto di sottomettermi. Dico finto perché nessuna donna si sottomette, ma le mogli riuscite fingono bene di farlo, sono brave attrici. Alla fine forse è stato davvero meglio così, anche se mi è costato molto dolore."

Antonia spegne la sigaretta nel posacenere, la schiaccia con ribrezzo.

"Non dovrei fumare. Una vecchia che fuma fa schifo e in più sono malata."

La fisso senza parole.

"Una malattia schifosa come il fumo. Mi curo a Parigi. Mi fa piacere che lei lo sappia per due motivi. Il primo è che Davide mi ha proibito di raccontarlo. Il secondo è per convincerla ad andare avanti con il libro. Si venderà meglio, mi creda."

"È una buona ragione per non farlo. Scrivo biografie, non testamenti."

Antonia scoppia a ridere.

"Questo mi piace! Ha ragione. Allora facciamo finta che non sono malata. Tanto la pelle la vendo cara!"

Mi sorride. Il primo vero sorriso da quando ci conosciamo, lo stesso delle fotografie.

"È stata allo studio?"

Mi chino per accendere il registratore. Prima di rispondere, controllo che giri il nastro.

"Sì, ci ho passato una giornata intera. È un luogo molto bello. Mi ha fatto sognare."

"Davvero? Io non ci vado mai per paura degli incubi. Per la verità lì ho anche scolpito i pezzi migliori. Soprattutto dopo la morte di Giorgio. Ho lavorato senza quasi dormire – giusto ne parlavamo – per un mese intero dopo la sua morte. Non sentivo l'esigenza di riposarmi. Ho finito il busto e credo di avere iniziato e finito altri tre o quattro pezzi, forse i più importanti della mia vita."

"Sì, una serie di tre busti e una decina di mani e piedi."

"I piedi e le mani di Giorgio mi mancavano più di qualsiasi altra parte del suo corpo. Li ho venduti bene quei pezzi, anche se ora valgono molto di più."

"Sul tappeto persiano dove l'ho trovato morto ho pianto tre giorni. C'è una macchiolina di sangue, o forse è pittura, non l'ho mai capito. Gettata sul tappeto, come un corpo senza vita, nei giorni dopo la sua morte, piango e mi addormento senza nozione del tempo. In sogno vedo cose che non c'entrano niente con lui. Sogno Malù. Non l'ho mai sognata da quando è morta. Viene a prendermi alla stazione di Mergellina e partiamo insieme per Capri. Siamo eccitate per la partenza, come quando ci andavamo insieme negli anni cinquanta, a raggiungere gli amici. Saliamo sul battello, ma appena la barca si stacca dalla banchina del porto, mi sveglio e ricordo che Giorgio non c'è più. Sono sola, stesa sul nostro tappeto.

"L'abbiamo comprato insieme a Istanbul, da uno dei venditori insediati nelle vecchie stalle del palazzo, al Topkapi. All'alba, dal nostro albergo, Istanbul sembra New York. Lo stesso boato lontano di voci e motori. Il fiume largo; le torri bianche dei minareti al posto dei grattacieli. Hanno la punta nera. Si stagliano in cielo come sottili pennelli pronti a dipingere albe e tramonti. In viaggio siamo sempre felici. Io non lavoro, me ne dimentico completamente. Anche se sono lì per una mostra, non ho molto da fare: firmo qualche autografo, bevo insieme a colleghi turchi che non parlano inglese. Ci si capisce a gesti e si fanno grandi risate senza motivo. Gli organizzatori sperano che qualcuno di noi diventi famoso.

"Con Giorgio stiamo sempre insieme. Camminiamo per la città tentacolare. Il quartiere francese, con il liceo e le case parigine. Le strade e i negozi dell'Occidente e il Bosforo. Il traghetto ci porta da una sponda all'altra, da Occidente a Oriente e viceversa. A picco sulla costa abbiamo trovato un ristorante che ci piace molto e ci andiamo ogni sera a vedere il tramonto. Beviamo il raki che è identico all'ouzo greco, anche se non bisogna dirlo perché turchi e greci si odiano. Lì, in un mercato di libri usati, abbiamo comprato un'edizione delle *Mille e una notte* in arabo.

"Il mare e il viaggio ci riportano indietro ai tempi del nostro incontro. Davanti al viavai incessante dei battelli parliamo della prima volta che ci siamo visti, nell'isola greca.

"Sulla spiaggia di Paxos andavo a passeggiare tutte le sere da sola. Ho gli occhi pieni delle statue del museo d'Atene, di *korai* vestite e di *kouroi* nudi, il sorriso sulle labbra, le trecce rosa sul petto, anche i maschi. Mi sono innamorata dell'affresco del pescatore di Santorini, con il torso lungo e bruno, le gambe magre da ragazzo, mostra trionfante grappoli di tonni verdi. Non so, forse è la natura a metà tra l'uomo e la donna che mi attira in queste raffigurazioni greche. Il corpo dell'uomo somiglia a quello della donna: la stessa dolcezza, la danza, la flessuosità. La bellezza femminile esalta la virilità, come se l'accostamento dei due generi in un essere solo suscitasse la grazia. L'esatto contrario delle statue di Michelangelo. Lì è il corpo maschile che detta la bellezza, i muscoli gonfi, lo scheletro massiccio, i fasci dei nervi, anche nei nudi femminili. Il corpo della donna nasce da quello dell'uomo, così com'è scritto nella Bibbia.

"Sulle spiagge greche invece sembra si annulli il confine tra i sessi. Da pochi anni in vacanza si dorme nudi in riva al mare. Nessuno si preoccupa di vestirsi. La nudità è ingenua in quegli anni, evoca libertà e incontri. Per me è una rivoluzione ancora più sconvolgente.

"Mio padre vendeva abiti sacri. Da bambina, quando mi portava con sé al negozio, toccavo con ammirazione l'oro delle tuniche, il raso viola che ricorda i funerali. Ogni paramento ha il suo nome: casula, dalmatica, amitto, piviale... Lui vende ai preti, alle monache ci pensa una signora con i capelli grigi vestita di nero. Monache e preti si salutano sorridendo all'entrata del negozio: 'Buongiorno, sorella. Buongiorno, padre. Di chi è questa bella bambina?'. Mi toccano la guancia. Le dita sono fredde e bianche, come il marmo e i morti. Scompaiono nei loro reparti separati. Nel negozio vengono solo sorelle e padri. Penso ai miei fratelli, a come nuotiamo insieme nel mare d'Ischia, ai loro corpi magri accanto al mio.

"Anche mia madre è stata cresciuta dalle suore.

La doccia vestite ci facevano fare! E come ti puoi lavare? Non ci si lava vestiti. La prima volta che mi sono vista nuda è stato a tredici anni. Ho lasciato cadere la camicia per terra e mi sono guardata. Mi pareva di vedere una sconosciuta.

"Mia madre odiava le suore, forse per questo non poteva sopportare neanche mio padre.

"Quell'estate in Grecia mi pare che il mondo si sia spogliato all'improvviso. Corpi nudi spuntano dietro ogni angolo della costa. Ragazzi si baciano stesi nudi al sole, in mare, sul fondo di barchette reclinate sulla spiaggia. Come per i *kouroi*, si fa fatica a distinguere il ragazzo dalla ragazza. Sono entrambi magri, poche forme, capelli lunghi.

"Sono andata in vacanza con una coppia d'amici e con il mio compagno di allora, un critico d'arte. I nostri amici sono attori di teatro. La sera, sulla terrazza della casa che abbiamo affittato, dopo avere bevuto ouzo come fosse acqua, improvvisano duetti che finiscono sempre in grandiose litigate. Io e il mio compagno siamo spettatori. Ci piace vederli recitare, sia il teatro classico, che il loro privato. Amore e odio si alternano a una velocità impressionante. Litigano con furore anche in camera da letto, rimproverandosi sentimenti orribili, disegni perversi. Al buio, in silenzio, nella stanza accanto alla loro, ci pare di seguire uno sceneggiato alla radio. Il mio compagno fuma la pipa anche a letto. Talvolta ridacchiamo piano per non farci sentire. I due amanti si spezzano l'anima per ore, finché tacciono sfiniti e iniziano ad amarsi. Noi li applaudiamo con due dita, ci auguriamo la buonanotte e dormiamo.

"Non ci amiamo più, ma continuiamo a stare insieme. Non voglio lasciare anche lui, è intelligente, colto, ha un buon lavoro. Abbiamo molti amici nel mondo dell'arte, e io comincio ad avere un nome. Potrebbe essere il padre giusto per il figlio tardivo a cui non ho ancora smesso di pensare. Non so perché lui stia con me. Forse perché sono una scultrice; gli piace guardarmi mentre lavoro. Scrive le presentazioni dei miei cataloghi. Ogni tanto viene allo studio, si mette in un angolo e mi guarda lavorare. Fissa le mie mani.

'Aspettava che diventassi ricca per vivere alle tue spalle,' dice Giorgio ridendo, sorseggiando il raki.

"È seduto di fronte a me. Il movimento delle navi sul Bosforo è incessante dietro le sue spalle. Dà un'aria provvisoria anche a lui. È questo che mi fa innamorare: potrebbe andarsene da lì, da ogni parte del mondo; lasciare tutto, anche me, ed essere felice. Gli occhi neri sembrano di velluto; i ricci sulla testa non stanno giù, lo fanno innervosire la mattina quando si pettina. Poi se li dimentica. Le mani piccole e magre con il dorso bruno... Su una nocca c'è una piccola cicatrice, il ricordo di un cane lupo che aveva da ragazzo."

"La cicatrice sulla nocca c'è in tutte le sculture..."

"Da quando è morto ho cercato come una pazza di riprodurre le sue mani. È così difficile ridare l'imperfezione. Ci vorrebbe un corso in accademia, un corso sui difetti. Forse ci sono riuscita solo una volta. Non avrei dovuto venderla quella mano, ma avevo bisogno di soldi."

"'I soldi che farai con le tue sculture me li intasco io!' mi dice Giorgio ridendo.

"'Ti sbagli, lui mi amava e stava con me perché sono bella, poi sei arrivato tu.'

"'Ti trascurava. Ogni sera venivi a passeggiare sulla spiaggia, alla stessa ora, ti ricordi? Camminavi con lo sguardo basso, le mani dietro la schiena.'

"'Come un cane che cerca una traccia,' aggiungeva.

"In realtà cercavo di non guardare tutti quei ragazzi nudi che si abbracciavano ovunque. Mi costringevo a pensare al mio lavoro. Credevo si potesse lavorare a comando, con la volontà. Insieme a Malù ne avevo avute anch'io di avventure da ragazza."

Antonia tace un istante, poi alza lo sguardo su di me, mi fissa in silenzio, ma è come se guardasse un'altra persona seduta al mio posto.

"Ha visto anche le fotografie?"

"Sì, ma non sapevo esattamente chi fossero..."

Un attimo dopo avere parlato mi ricordo di quella che ho preso. Adesso è troppo tardi per dirlo.

"Era giusto per farle capire com'ero all'epoca. Forse possono servire anche per il libro, non so."

"Certo, sono belle."

"Malù era bella... ma non voglio parlarne ora. Cosa stavo dicendo?"

"L'incontro con Giorgio in Grecia negli anni settanta..."

"Quanti anni aveva lei?"

"Non molti, quindici... ma anche per me è stato un periodo importante."

Mi scruta di nuovo interessata. Ogni volta che parliamo di me, ho l'impressione di perdere tempo.

"Mi scusi, non volevo sviarla."

"Non mi svia per nulla, sono io che gliel'ho chiesto. Un periodo importante, perché?"

"Niente... cose che fanno tutte le ragazze. Ho fatto il mio primo viaggio lungo da sola. È anche l'anno in cui è morta mia madre."

"Ma lei se lo ricorda soprattutto per il viaggio."

Come mi è saltato in mente! E ora mi fa anche la morale, senza saperne nulla.

"Non l'ho conosciuta... cioè, non me la ricordo. Se n'è andata quando avevo tre anni."

"Già, me l'ha detto."

Meno male, ora forse possiamo riprendere.

"Qualche volta può essere meglio non averla avuta, sa. Ci si dedica tanto tempo, tanti pensieri inutili."

Che banalità!

"Vuole controllare il registratore, credo si sia fermato."

Lo prendo in mano di scatto. Effettivamente è finito il primo lato del nastro. Lo giro velocemente.

"Scusi, non me n'ero accorta."

"Faccia con calma, non ci corre dietro nessuno."

La detesto, definitivamente.

"Cosa stavo dicendo? Sì, la spiaggia di Paxos... Io non ero più una ragazza."

"Da ragazza avevo avuto parecchie relazioni che avevano fatto infuriare mio padre, anche un matrimonio finito in pochi mesi, a vent'anni, con un compagno di corso. Poi storie più lunghe, chiuse senza dolore. Ma quello che vedevo intorno a me sulle spiagge della Grecia era diverso. L'orizzonte si era di colpo allargato, vivevano tutti da ubriachi. Se non avessi incontrato Giorgio, non avrei avuto la mia parte di sbornia. In quel periodo anche le differenze d'età non erano una vergogna.

"Ogni sera, prima dello spettacolo dei nostri due amici, andavo a camminare da sola sulla spiaggia e passavo davanti a un accampamento, una decina di tende messe in circolo. Non so quanti ragazzi ci fossero. A quell'ora iniziavano a cucinare. Un fuoco brillava in un angolo. Era intrattenuto da due ragazzi che ci gettavano su rami secchi e foglie, mentre le donne preparavano i pesci da cuocere. Una mandria di cani bastardi si azzuffava, s'inseguiva sulla spiaggia e si gettava impetuosa nel mare. Forse anche i cani si accoppiavano volentieri, come i loro padroni.

"Il ragazzo bruno, con il busto lungo e le gambe magre, che somigliava al pescatore dell'affresco di Santorini, sembrava il capo della banda dei cani. Li faceva correre, lanciava nell'aria e nel mare pezzi di legno e scarpe vecchie che i cani riportavano indietro. Li divideva nelle azzuffate generali, urlando imprecazioni gioiose.

"Lui mi disse poi di avermi guardata mentre passeggiavo. Avevano anche scherzato su di me intorno al fuoco. Sapevano che a Giorgio piacevano le donne più mature. Anche gli uomini, ma questo allora non lo sapeva neanche lui.

"Fu il suo cane a farci incontrare. Una specie di cane lupo mezzo bastardo. Giorgio aveva la passione dei lupi. Dei lupi e di Jack London. Si sentiva lui stesso un lupo solitario; abbandonato quand'era bambino dai genitori separati, due mezzi artisti, era cresciuto con una zia che chiamava mamma. Per seguire le orme dei genitori si era poi iscritto all'accademia.

"Il cane mi si lanciò contro e quasi mi fece cadere. Si strofinava in cerca di carezze, eccitato mi annusava tra le gambe. Gli urlai contro, cercai di colpirlo con un calcio.

"'Stronza, non lo vedi che vuole giocare! Basta, Buck! Vieni qui!' lo richiamò lui da lontano.

"Buck si staccò dalle mie gambe e lo raggiunse, festeggiandolo. Da lontano, li guardavo. Cane e padrone saltellavano insieme. Sembravano divertirsi alle mie spalle. Ero stata goffa, pesante. Sentivo disgusto per me stessa. Ma non l'avevo forse provato tutta la vita? Da bambina quando vedevo lo sguardo adorante di mia madre sui fratelli. Quando avevo incontrato mio padre fuori della chiesa e gli avevo letto negli occhi l'orrore per il mio aspetto fisico, la disapprovazione per le mie scelte. Quando lottavo contro il cibo non riuscendo a perdere un grammo, e cercavo di farmi amare da uomini di cui non m'importava nulla. Volevo leggerlo anche negli occhi del ragazzo col cane quel disgusto. Tornai indietro con l'idea di rimorchiarlo. Mi sentivo bene, come quando scolpivo da sola, nello studio, e tutto il resto mi era indifferente.

"Mi trasferii nella sua tenda qualche giorno dopo. I nudisti mi accolsero bene. C'era la regola che i sentimenti degli altri non si commentavano."

"Su questo e su altri ricordi ridevamo a Istanbul nel ristorante sul Bosforo. Poi, un po' brilli, tornavamo in albergo e facevamo l'amore. Quando eravamo in viaggio e non lavoravo, andava tutto bene. Non mi fermavo mai a chiedermi quanto mi amasse, quanto mi desiderasse. Mi bastava il desiderio che mi suscitava. Mi ero data senza ritegno come sempre, ma questa volta era diverso. Non provavo disgusto per me stessa. Non gli ho mai chiesto di amarmi come lo amavo io, non mendicavo amore e non sentivo più il peso che aveva accompagnato tutte le mie relazioni. Avevo diciassette anni più di lui, avrebbe potuto lasciarmi da un momento all'altro. Mi svegliavo accanto a lui con un delizioso sentimen-

to di precarietà. Mi sembrava di avere dalla nascita un fardello, di aver cercato disperatamente un luogo dove scari-
carlo. Un fardello o una deformità nascosta sotto i vestiti.
Come il suo cane Buck avevo scodinzolato intorno alla gente, annusando tra le loro gambe, pronta a tutto per una carezza. Avevo ricevuto calci, è normale. Solo con lo scalpello
in mano li avevo dominati, il mio talento infine li aveva pie-
gati. Mi pareva di scolpire Giorgio ogni giorno con gli occhi; era una mia creazione. Lo lasciavo libero, ne ero fiera,
mi apparteneva.

"'Mi spii per ridurmi a statuina, non ci riuscirai, Antonia!'

"Me lo diceva ridendo. Era intelligente, e aveva talento
artistico. Non per la pittura, per la vita. Era un artista della
vita, una categoria pericolosa. Per molto tempo Giorgio ha
confuso i due piani, quello della vita e quello della pittura.

"Si trasferì allo studio, ma questo non m'impediva di
scolpire. Anzi. Giorgio lavorava durante il giorno. Faceva il
cameriere in bar e ristoranti e la sera dipingeva. Io cominciavo a vendere e insegnavo ancora saltuariamente. Vivevamo
con poco. Fu in quel periodo che iniziai a lavorare ai frammenti di corpi in bronzo."

Antonia respira profondamente, si asciuga la fronte con il
suo fazzolettino minuscolo.

"Prendo delle medicine che mi fanno sudare. Se puzzo
me lo dica, apriamo la finestra."

"Non sento nulla, tranne un buon profumo di gelsomino," dico guardando un ramo di gelsomini bianchi nel vaso
blu sul tavolino accanto alla mia poltrona.

"Lo faccio mettere apposta. Mi è sempre piaciuto l'odore
del gelsomino. Nella casa per anziani dove stava mia madre,
sulla costiera amalfitana, c'era una pianta di gelsomino che
girava tutt'intorno al muro di cinta. Mia madre si faceva por-

tare accanto al muretto e ci passava le giornate. Quando andavo a trovarla, se ne stava beata a respirarne il profumo.

'*Che odore, mi pare di stare già in paradiso!*' mi diceva.

"Aveva perso la memoria. Si era liberata delle ire, dei salti d'umore. Il suo fardello l'aveva deposto accanto alla pianta di gelsomini. Mi raccontava sempre e solo della sua vicina di stanza, di come fosse sola, dei figli che non l'andavano a trovare..."

...sogna il marito morto tutte le notti, povera donna, non vecchio come sarebbe ora, ma com'era da giovane, quando si sono incontrati. Pensa, Antonia, lo bacia in sogno e fanno l'amore. Che vergogna! Così anziana, con un ragazzo di vent'anni! Mi racconta che non vuole togliersi la camicia da notte davanti a lui e cerca di spegnere la luce. Ma lui ogni volta le dice: "Lucia, come ti puoi vergognare di me! Sono tuo marito!". "Ma sono vecchia e la mia carne ti farebbe schifo." "Io ti vedo sempre uguale, Lucia, e poi pure io sono vecchio." "No tu no, solo io! Tu sei rimasto giovane." Alla fine, tutte le notti, riesce a chiudere la luce. E fanno l'amore, come quando erano giovani, lei non può vedersi e non si vergogna. Le sembra anzi che sotto le mani del marito, la pelle del suo corpo sia tesa, liscia e profumata. Che sogni strani fa la gente, eh Antonia?

"Me lo raccontava ogni volta che andavo a trovarla; mutava qualche dettaglio, mischiava i ricordi, ma il racconto era più o meno sempre uguale. Il sogno di Lucia mi faceva male. Erano gli anni peggiori della relazione con Giorgio, tutto si era aggrovigliato.

"Buck aveva dodici anni, era vecchio. Si nascondeva sotto i mobili, respirava faticosamente. Non ero mai stata gelosa di Giorgio, ma di Buck sì. Giorgio lo amava più di me, da lui accettava tutto. Buck era un questuante d'amore insaziabile, mai indifferente, mai placato. Mi dava i nervi come si agitava quando lui rientrava, come lo leccava e si metteva giù, spiaccicato contro il pavimento, mendicando una carezza. Mi ricordava il rapporto con mia madre, forse mi ricordava me stessa e basta.

"Quando Giorgio era fuori, gli parlavo. Bevevo il caffè davanti alla finestra e lui mi guardava, con le orecchie basse. Non osava avvicinarsi tanto. Hanno buona memoria i cani.

"'Cosa mi guardi? Non è me che ami, lo so. Ma non dovresti umiliarti così, senza ritegno, davanti a lui. Che cane sei! Sei un bastardo, nessuno ti voleva, per questo sei senza orgoglio, un mendicante di cibo e affetto. Stai attento, Buck, s'invecchia. Lui ne avrà abbastanza, di te e di me. Io me l'aspetto, ma tu, come farai?'

"Mi fissava con lo sguardo pietoso dei cani. Tornavo al busto. Buck si nascondeva sotto il mobile, terrorizzato dai colpi e dai frammenti di bronzo che volavano per la stanza.

"I cani come gli esseri umani non ascoltano. Giorgio era diventato crudele con lui. Tornava tardi la sera, non lo degnava di uno sguardo. S'infilava nel letto accanto a me senza dire una parola. Non gli chiedevo niente, c'erano ancora giorni felici, non volevo guastare anche quelli. Le spiegazioni, le domande inquinano tutto.

"Si riunivano tutti i giorni, interminabili riunioni politiche. Era stato fuori anche mesi, inviato dall'organizzazione in cui militava. Una volta alcuni suoi compagni erano venuti allo studio. Avevano guardato le sculture con ironia e disprezzo. Giorgio si era vergognato davanti a loro della mia attività, di quella sua di un tempo. In quegli anni l'artista era una sottospecie del borghese. Più pericoloso perché non facilmente catalogabile. L'artista guarda il mondo senza buoni e cattivi, non può giudicare nessuno, lui stesso quando lavora non è né buono né cattivo, è interessato all'umano, cioè a se stesso.

"Una sera avevamo litigato furiosamente, la prima grande litigata.

"'A cosa serve quello che fai, te lo sei mai chiesto?' mi ripeteva.

"'A vivere. E i tuoi quadri, allora?' gli chiedevo.

"'Ho cose più importanti ora.'

"'Non sei capace, per questo non te ne importa più.'

"Una notte colpì come un dannato un pezzo a cui stavo lavorando. Con lo scalpello, la sega e il trapano: lo distrusse. Sembrava ubriaco, io e Buck ci tenevamo stretti a terra. Cominciai ad amare quel cane e lui si legò a me negli ultimi anni della sua vita.

"La parentesi nudista si rivelò una bella rivoluzione anche per la mia generazione. La politica degli anni seguenti rovinò la vita di molti, tra cui quella di Giorgio. Lo scopo era puerile e anacronistico. Avevo visto la guerra da ragazzina, prima a Napoli e poi a Roma. Cos'era il comunismo l'avevo capito negli anni cinquanta, con l'invasione dell'Ungheria. Ma negli anni settanta, solo i reazionari mettevano in guardia contro il comunismo. Chi voleva ascoltarli? Era anche giusto, il mondo di un reazionario non era il nostro. Chi avrebbe dovuto parlare, indirizzare, non poteva farlo, si sarebbero dati la mazza sui piedi. Giorgio credeva veramente che il comunismo fosse una rivoluzione.

"I suoi compagni non capitarono più allo studio. Vedevo poco anche lui. Era meglio. Non dipingeva più, non lo faceva da tempo.

"Quando era venuto ad abitare da me, aveva risistemato lo studio. Sapeva mettere insieme i colori, con un colpo d'occhio decideva la posizione dei mobili. I primi anni portava sempre fiori a casa e li sistemava in contenitori improvvisati. Aveva molta fantasia. Organizzava cene perfette e la sera lo studio era pieno di amici. Appena guadagnava un po' di soldi o io vendevo una scultura, comprava oggetti per la nostra casa futura. Una casa grande in cui Buck avrebbe avuto una stanza tutta sua. Li avevamo accatastati in un angolo dello studio. Una volta acquistò da un antiquario una lanterna magica e delle favole di animali dipinte su lastre di vetro. Gli costò una fortuna. Mi disse di averla comprata per il nostro bambino. Quel giorno mi sentii molto felice. Più tardi, fu anche abile a rivendere tutti quegli oggetti, nel periodo in cui aveva sempre bisogno di denaro e io non capivo perché. Andava di qua e di là per riuscire a venderli al massimo.

"Giorgio aveva molta grazia ma non era forte. Quando decideva di lavorare, ci metteva ore a cominciare: si sistemava vicino alla finestra per avere la luce migliore, sceglieva delle riproduzioni di quadri che lo ispiravano. La musica doveva essere quella giusta. Il telefono staccato. Anche Buck capiva che era il momento di giocare. Mi mettevo a leggere in un angolo e lo guardavo. Non potevamo lavorare insieme, facevo troppo rumore. Lo guardavo senza farmi vedere, pregavo con tutta l'anima che riuscisse a tirare fuori qualcosa. Non solo perché dopo sarebbe stato di buon umore. Credevo fermamente che ce l'avrebbe fatta. Avevo visto alcuni suoi lavori giovanili. C'era sempre un'intuizione. Una non bastava a fare tutto un quadro, ma era ancora giovane. Con quei primi quadri aveva vinto dei premi. Cosa succede al talento precoce? Quando e perché muore? Me lo sono chiesta infinite volte. Avrei dato qualsiasi cosa per capirlo.

"Giorgio combatteva contro la tela. Un combattimento terribile. Non aveva nulla a che vedere con la fatica dei giorni in cui il lavoro non viene. Si applicava sempre sulla stessa parte del quadro, sempre la stessa. Lo faceva in modo maniacale. Si allontanava, guardava, riprendeva a lavorare. Era l'unico a vedere i cambiamenti. A me sembrava tutto uguale ai giorni precedenti. Mi chiedevo perché non andasse avanti. Molte volte i difetti si vedono solo così. Era questo che lo terrorizzava. Una volta finito, il lavoro avrebbe rivelato il suo valore. La cosa migliore era tenerlo in sospeso, illudersi che fosse ancora possibile. Non sbattere contro la realtà.

"I momenti migliori erano quelli in cui ero io a essere in crisi, a non riuscire a lavorare, a tormentarmi. Allora diventava il mio angelo custode. Sapeva tirarmi su, farmi tornare l'energia. Mi faceva ridere. Giravamo per Roma, la sera andavamo nei bar. Non mi lasciava un momento da sola con la mia insicurezza. Per anni mi sono rimproverata di essere un'egoista perché non riuscivo a rassicurarlo allo stesso modo. Ci provavo, in realtà, ma gli davo i nervi. Se gli preparavo da mangiare, diceva che non ero capace; se lo consolavo, si sentiva sminuito, mi accusava di non avere fiducia in lui. Preferiva essere lasciato solo. Restava anche intere giornate a letto. Poi un giorno si alzava prima di me, mi portava la colazione a letto. Era di nuovo felice. Aveva avuto la visione intera del suo quadro. Era pieno di entusiasmo e faceva progetti. Pensava a mostre, a viaggi. Ora sapeva cosa doveva fare. Non subito perché si sentiva stanco, aveva bisogno di sgranchirsi le gambe, di divertirsi un po'. Ma tra qualche giorno ci si sarebbe messo veramente. Sarei stata fiera di lui.

"L'esaltazione somiglia al talento. Il talento produce spesso esaltazioni e cadute, ma ha dentro un nocciolo duro che non molla, che è insensibile ai salti d'umore e ai risultati. Ci sono molte capacità che restano velleità. Così è difficile districarsi. I primi tempi, se avessi saputo che Giorgio non era capace di dipingere, non l'avrei spinto a farlo. Forse avrei rischiato di essere lasciata. Dopo divenne impossibile dirglielo. Non potevo più immaginare di restare senza di lui e lui avrebbe incolpato me per i suoi fallimenti, non mi avrebbe creduto. La verità c'era sfuggita di mano. In ogni caso il nostro rapporto non avrebbe retto alla verità. Oggi penso di avere sempre saputo che non era un artista, ma mi faceva comodo che lui non lo sapesse.

"Amavo il suo cane invecchiato ma evitavo di prendermi cura di lui quando Giorgio era in casa. S'innervosiva, diceva che lo facevo apposta, perché non aveva tempo di occuparsene, per farlo sentire in colpa. Buck si rannicchiava ancora sotto i mobili quando lavoravo, ma appena smettevo, mi veniva vicino col suo passo strascicato da vecchio. Prendevamo il caffè insieme. Lui metteva il muso sulle mie ginocchia, chiudeva gli occhi. Andavo a fare la spesa solo per comprargli morbidi pezzi di carne magra che gli frullavo perché aveva perso dei denti. Il pomeriggio lo facevo salire sul letto, sonnecchiavamo insieme.

"Un giorno lo portammo dal veterinario a morire, non riusciva più a sollevare le zampe posteriori. Buck ci aveva fatto incontrare sulla spiaggia di Paxos, e quello fu il nostro ultimo giorno d'amore. Guardò il suo padrone per l'ultima volta. Lui gli teneva il muso tra le mani. In quel momento pensai che Giorgio se ne sarebbe andato, ma non immaginavo che sarebbe morto.

"Era stata la presenza di Buck a farlo tornare, anche dopo giorni d'assenza. Quando ricompariva parlava con la voce impastata, era sempre stanco, ma gentile. Qualche volta facevamo l'amore e poi si gettava sul letto a dormire. Di tanto in tanto il cane gli leccava la mano o il viso nel sonno. Avevo portato al piano inferiore il mio lavoro per non svegliarlo. Ma lui dormiva pesante, non si svegliava neanche quando martellavo. Ogni tanto mi chiedevo perché dormisse così tanto; fa tardi la sera, mi rispondevo, forse mi tradisce. Ma ero felice che stesse a casa, che non se ne andasse. M'infilavo nel letto e lo abbracciavo, lo accarezzavo senza svegliarlo, come faceva il cane. Eravamo due cani e un padrone addormentato."

Antonia tace e accarezza il gatto nero che le si è accucciato in grembo. Non l'ho visto entrare.

"So cosa vorrebbe chiedermi. La faccenda dell'omosessualità di Giorgio, il fatto che gli piacevano anche gli uomini. Come ho potuto non accorgermene."

"Le donne non si accorgono mai di essere tradite. In fondo è la stessa cosa."

"Sì, potrebbe andare come giustificazione."

Spengo il registratore, non perché sia arrivato il gatto, ma non ho voglia di registrare quello che mi dirà. Antonia mi guarda un istante prima di parlare e nel suo sguardo mi pare di cogliere qualcosa che somiglia alla riconoscenza. Ma forse è un'impressione.

"L'ho capito molto presto. Prima da tracce. Come guardava gli uomini per strada o sulle riviste. Mi aveva raccontato di un'avventura che aveva avuto da ragazzo con un suo compagno di sport. Altri segni difficili da spiegare, come biancheria lasciata qua e là in una stanza. Un giorno, negli ultimi tempi, poco prima che morisse, l'ho visto a Villa Borghese con un uomo più grande di lui, vestito bene, con la cravatta, l'aria gentile. Erano seduti su una panchina. L'uomo gli accarezzava una guancia, un gesto che avrei potuto fare io. In quel momento ho pensato che l'avevo sempre saputo. Ho maledetto la mia forza e il talento che possiedo. Ho invidiato ogni donna, la più normale, la più modesta. Tutte mi sembravano possedere virtù a me sconosciute. Due donne erano sedute su una panchina accanto a me, parlavano di commissioni da fare, di bambini da andare a prendere a scuola, forse di cibo. Ricordo di averle invidiate, di avere pensato: beate loro. E di nuovo mi è montato quel disgusto per me stessa, per il mio corpo, che con Giorgio era sparito. Ancora più del corpo mi pesava l'anima, come un fardello odioso di lacrime, rimpianti, richieste. Per qualche tempo lo avevo nascosto nell'armadio, ma era fatale che un giorno mi rotolasse di nuovo sulla testa."

8.

Mi piace questa donna. È insopportabile, ma la sua vita è appassionante. Anche se mai vorrei cambiarla con la mia. Anzi, il solo pensiero mi fa rabbrividire. Entrare nello studio piena di desiderio, dopo la passeggiata mattutina. Le mani fremono dalla voglia di lavorare e di abbracciarlo. E lui invece è steso sul tappeto di Istanbul, morto. No, neanche per tutto il successo del mondo. Com'era la canzoncina dei bambini? La cantavo tenendoli stretti per le braccine. Quanti anni avevano? Un anno Giuseppe e due Giovanni. "Neanche per un milione la mamma non li dà. Neanche per un miliardo la mamma non li dà. Neanche per tutto l'oro del mondo la mamma non li dà!" I bambini ridevano compiaciuti di valere così tanto per me. Strano, è la stessa canzone che cantava la madre di Antonia ai suoi fratelli. Una coincidenza.

E subito dopo ha scolpito quella bellissima serie di mani e piedi. Le mani e i piedi di Giorgio. Così è l'arte. Io preferisco vivere, anche se detesto fare la spesa. Molte donne adorano riempire il carrello di detersivi e carne sotto cellophane. Non so che gusto ci trovino; forse si sentono più tranquille dopo, oppure si divertono. Io digiunerei volentieri, ma i bambini hanno sempre fame e il frigorifero si svuota alla stessa velocità del serbatoio della macchina. Frigorifero e serbatoio non reggono la settimana.

Il supermercato mi fa sognare. A poco a poco mi distraggo, dimentico Giuseppe seduto nel carrello con la lista in mano e Giovanni incaricato di prendere le scatole dai ripiani.

Ora mi è chiaro perché ho provato subito simpatia per Giorgio. Certo doveva essere insopportabile nei momenti in cui si rendeva conto di non avere talento, o quando la faceva soffrire e spariva per giorni. Ma se penso alle giornate in cui cercava di dipingere, e si organizzava con la musica e le riproduzioni di quadri, provo pietà per lui come la provavo per me stessa, le notti in cui volevo scrivere e combattevo inutilmente contro il sonno.

"Mamma, posso prendere una merendina?"
"Sì..."

"Certi giorni aveva la visione totale del suo quadro..." Anche a me succedeva.

Vedevo stanze piene di fumo, abitate da tanta gente, ognuna con una storia da raccontare. Conoscevo le loro facce, le guance tonde delle ragazze che si affannavano dietro ai bambini; le nonne senza denti come quella di Antonia; gli uomini che discorrevano tra loro. Un odore di cavolo bollito mi portava in giro per quelle stanze e si mischiava al profumo di una torta in forno. Sui letti erano stese stoffe colorate. Persone sdraiate prendevano il tè e parlavano animatamente in russo, ma io capivo tutto. Discutevano dell'anima, dello scopo della vita, della morte, come se fossero argomenti di tutti i giorni.

Altri mangiavano la zuppa di fagioli seduti intorno al tavolo di legno di una cucina contadina e si scambiavano poche battute in francese, come nei romanzi fiume che leggevo la notte e di cui mi rimanevano i volti, l'odore dei posti più che la trama. In villa, la nostra cuoca cucinava "magnifica-mente" la zuppa di fagioli, così diceva mia nonna.

Ma in quelle stanze lei non era mai entrata, neanche mio padre. In quella casa non avevano accesso. Avrebbero subi-to commentato negativamente gli odori e la promiscuità. Eppure io ci avevo vissuto. Ma quando? Conoscevo la lam-pada sbeccata sul tavolo da pranzo, il lungo corridoio con la carta da parati verde a righe dorate. Nella stanza in fondo al corridoio dormiva una donna che nessuno doveva svegliare. Di quella stanza, e della donna, favoleggiavano gli uomini seduti intorno al tavolo e le donne mentre addormentavano i figli. E i bambini la sognavano di notte. La stanza affac-ciava su un cortile dove erano piantati alberi di aranci che luccicavano come lampioni alla luce della luna. Sì, simili agli alberi di aranci della nostra villa, ma molto più grandi e luminosi.

Nel cortile si respira odore di aghi di pino bagnati di pioggia. Ecco cos'era quel cortile! Senza fare rumore, per non svegliare la donna addormentata, bambine giocano al gioco dell'elastico. Due di loro tengono tirato un elastico al-le caviglie. Un'altra ci salta dentro, intrecciandolo e forman-do figure, come fanno le bambine di gesso di Antonia con le mani. Le persiane della stanza si affacciano sul cortile e sono sempre aperte. Le bambine si avvicinano impaurite e guar-dano dentro, spiano la signora addormentata. Il suo viso pal-lido poggia su un'alta pila di cuscini e sembra staccato dal corpo. Tutto è immobile nella stanza; gli oggetti sono sem-pre gli stessi, i fiori davanti alle cornici eternamente freschi. Solo le labbra della donna si muovono incessantemente, rac-contano una storia interminabile. Bisognerebbe accostare l'orecchio alle labbra per udirla...

Da dove venivano queste immagini, questi brandelli di racconto che non trovavano espressione? Dove avevo visto quella casa? E chi era la donna che dormiva nella stanza in fondo al corridoio? Sulla carta nessuna parola era capace di restituirne la concretezza. E così, mi dicevo, era inutile bere caffè e ostinarsi a scrivere. Spegnevo la luce. I bambini dormivano nei loro letti. Mi stendevo accanto a loro, prima di andare da Luca. Mi veniva da piangere. Loro erano la mia creazione perfetta. Li avevo fatti io, li avevo voluti. Non erano nati per caso. Se non si ha talento, meglio essere donna o, come diceva Régine: "Si tu as un enfant, tu es sauvée!". Mia madre non la pensava allo stesso modo. La mia nascita non l'aveva trattenuta.

Régine aveva infine rinunciato al suo amore italiano, era ritornata in Alta Savoia e si era sposata con un pasticciere. Lui si svegliava alle quattro del mattino per impastare le brioche e lei gli preparava il caffè, prima di rimettersi a dormire.

"Siamo insieme dalle quattro alle quattro e mezzo di notte, però non mi lamento. Mi piace la solitudine e da quando è nata Chiara, mi sembra di essere l'allodola che cantava nel giardino della villa. Tu te souviens?"

Come dimenticarla! Volava trillando davanti alla finestra della nostra stanza; aveva fatto il nido tra i rami dell'albero di fronte e attraversava il cielo di qua e di là cercando cibo per i suoi piccoli. Un giorno, per riuscire a vedere il nido, ci siamo arrampicate sull'albero senza valutare l'altezza e il pericolo.

"Siamo pazze!" rideva Régine. "Vedrai Chiara, quando sarai grande, sarai una maman perfetta. Proprio perché la tua ti ha abbandonato, tu darai tutto a tes enfants, te lo dice Régine!"

La sua l'aveva chiamata come me e se avessi avuto una bambina, si sarebbe chiamata Reginella, come la canzone napoletana.

"Mio Dio, Giovanni, quante merendine hai messo nel carrello!"

Trenta! Inutile pensare di metterle a posto. Alle mie spalle c'è una fila lunghissima, occhi alterati valutano il nostro carrello pieno fino all'orlo. Sono costretta a pagare trenta schifose merendine al cioccolato.

"Quante volte te l'ho detto, Giovanni?"

"Ma te l'ho chiesto mamma, e tu hai detto di sì."

Usano la mia distrazione deliberatamente. Non devo distrarmi, non devo distrarmi! Devo sistemare Antonia e Giorgio in un cassetto della mente e Régine e l'allodola in un altro. La mente ne ha tanti di cassetti, uno vuoto si trova sempre. Li riaprirò più tardi, questa sera, quando si saranno addormentati. Devo fingere di essere efficiente, altrimenti diventeranno due delinquenti.

"Andiamo a casa!"

Carichiamo il bagagliaio dell'auto e mi accorgo di quante cose inutili abbiamo comprato.

"Cosa ci facciamo con il mangime per i canarini?"

"Hai detto che ci compri gli uccellini, mamma."

È sempre Giovanni che parla. Giuseppe, in ginocchio sul sedile posteriore, svita con impegno i posacenere.

"Lasciali stare, Giuseppe!"

"Ma tanto mamma noi non fumiamo."

"Lasciali stare lo stesso!"

Finalmente siamo a bordo, pieni di mercanzie, come una nave pronta alla traversata. Potremmo andare in capo al mondo, abbiamo da mangiare anche per gli uccellini che volteggeranno intorno all'albero maestro. Ai bambini piace andare in auto. Guardano con occhi sognanti dal finestrino. Giuseppe si addormenta di colpo, con il posacenere in mano e la spalla appoggiata a quella del fratello. Giovanni vorrebbe sbatterlo giù, glielo leggo negli occhi, ma non osa. Sa che lo controllo dallo specchietto. Si rassegna, ha cercato di disfarsi del fratello per i primi due anni, ora ci ha rinunciato.

I nostri occhi si incrociano nello specchietto.

"Dove andiamo?" gli chiedo.

"A casa."

"E se non ci tornassimo più? Abbiamo da mangiare per almeno due settimane e il serbatoio è pieno di benzina. Possiamo arrivare fino alle isole Faer Øer, all'estremo Nord del mondo, dove papà è andato in autostop quando era ragazzo. Lì le case sono tutte colorate e potremo sceglierne una blu..."

"Il blu è il colore di Giuseppe, il mio è il verde," mi risponde immusonito.

"Ognuno si sceglie quella del suo colore. Costruiamo un passaggio sotto terra, perché fa un freddo cane, così possiamo andare da una casa all'altra e fare merenda insieme."

"E io pesco il pesce sotto il ghiaccio come Nanuk l'eschimese."

L'ho conquistato.

"E io lo cucino e viviamo solo dei pesci che pescate tu e Giuseppe."

"Non si può."

"Perché?"

"Senza papà non sappiamo pescare."

"Già... e allora ci andiamo con lui, un altro giorno."

Ci guardiamo ancora un istante nel retrovisore prima che i suoi occhi si perdano nei pensieri caotici dei bambini.

L'allodola del nostro giardino picchietta con il becco alle pareti del cassetto in cui l'ho rinchiusa. Tornava tutte le primavere e faceva il nido sullo stesso ramo. Era doloroso per me vedere quanta energia metteva nel costruirlo, i giorni che ci passava immobile accovacciata, mentre il maschio le portava da mangiare. Mi faceva pensare a mia madre e alla sua fuga. Non sapevo ancora che la sua morte precoce mi avrebbe impedito di rivederla. Sognavo di capitare da lei dopo mesi di ricerche. L'avrei seguita per strada e mi sarei introdotta nella sua vita senza dirle chi ero, come accadeva nei romanzi. Avrei valutato se fosse degna di me. Ma la notte, tra le lacrime della mia prima adolescenza, sentivo che ero io a non essere stata degna di lei poiché la mia esistenza non l'aveva trattenuta. E mi prendeva un odio per me stessa, qualcosa di simile al disgusto di cui parla Antonia.

Le nostre vite così diverse, opposte per un certo verso, hanno questa congiunzione: il rifiuto materno.

Il disgusto di sé ha tormentato Antonia tutta la vita. Mi sembra un punto importante della sua personalità, ne parla spesso come di un peso, un fardello portato fin dall'infanzia. Qualcosa legato al suo corpo e che ha in fondo motivato il desiderio di scolpirne altri. In questo bagaglio mette l'amore non ricambiato per la madre, il disprezzo del padre per una figlia che tradisce le attese e perde la reputazione, il disamore di Giorgio. Queste vicende non le appaiono slegate tra loro, fatti successivi di una vita. Antonia li attribuisce tutti a una sua goffaggine spirituale e fisica.

Non credo che la psicologia aiuti a far vivere un personaggio. Le biografie migliori sono quelle in cui una vita si racconta da sé. Però qui c'è un elemento di consapevolezza che non va eluso. Come se lei avesse compiuto un baratto tra grazia e talento.

La sensazione di indegnità che mi tormentava da bambina è sparita con la nascita di Giovanni e lei racconta che quel disgusto l'abbandonava solo quando scolpiva. Devo annotare questa analogia, forse non servirà, ma devo ricordarmi di trascriverla. Non posso pensarci ora, e non avrò tempo fino a questa sera. Dio mio, le chiavi! Le dimenticavo ancora nel cruscotto.

"Giovanni, siamo arrivati, sveglia tuo fratello! Con dolcezza, non così! Lo vuoi ammazzare?"

Luca questa sera torna tardi. Ho riascoltato di nuovo la registrazione e scritto degli appunti. Guardo la fotografia di

Malù che ho preso allo studio. Forse me ne parlerà la prossima volta, come della rottura definitiva con il padre e i fratelli. È malata e va a curarsi a Parigi. Per questo si copre la testa con il turbante: avrà un tumore e la chemioterapia le ha fatto cadere i capelli. È naturale che una donna con la morte davanti abbia voglia di raccontare la sua vita. Succede a tutti. Una persona famosa chiama qualcuno e si fa scrivere una biografia. Eppure non comprendo fino in fondo perché lei – ora comincio a conoscerla – abbia deciso di parlare di sé.

Non le piace rivangare nel passato e soprattutto non ama la sua vita. Sa di avere creato alcune opere di valore, di avere un nome, ma non va fiera della sua vita privata. Anzi, credo la consideri un fallimento. Allora perché ha deciso di raccontarla a degli sconosciuti, a me per prima? Perché ha bisogno di soldi, anche se Davide è sicuro che sia ricca. Rigiro tra le mani la fotografia di Malù e mi chiedo dove sia il segreto di questa confessione finale. Perché di questo si tratta. Non so quanti mesi abbia ancora da vivere, forse qualche anno. Ma in ogni modo è la vicinanza della morte che l'ha condotta a me, anche se ha voluto ridere alla mia battuta sul testamento. La risata registrata rivela un doppio fondo, come se ridesse solo fino a un certo punto e la mia osservazione svelasse una verità.

"Giuseppe, perché non dormi?"

Vorrei morire. La mia mente era così aperta, i cassetti tutti spalancati, le associazioni fluttuavano proficue. Mi sentivo a un passo dal nocciolo della sua personalità. Avevo appena afferrato il bandolo, stavo proprio per tirarlo, per srotolare la matassa degli accadimenti confusi di una vita. A un passo dalla voce di Antonia. Una voce unica, la sento solo quando riesco a fare silenzio dentro di me e la mia personalità si fonde con l'essere di cui devo scrivere...

Un terremoto ha fatto sbattere i cassetti tutti insieme. Giuseppe mi guarda, gli occhi pieni di terrore, i ciuffi di capelli ritti in testa. Immobile sulla porta, si ciuccia il dito, sniffando il suo coniglio di pezza ormai cencio puzzolente. Mi supplica con gli occhi, desidera ardentemente che la mia personalità si fonda solo con la sua.

Antonia sprofonda lentamente negli abissi, va in letargo; le pulsazioni si diradano, il respiro si riduce a un sibilo leggero...

"Ho paura dell'uomo con le due teste."

Lo prendo in braccio e lo riporto nella sua stanza.

"Ma è una storia inventata, non è vera. Me la raccontava Régine, te l'ho detto. Scc... se no svegliamo Giovanni."

"Stai qui..."

Mi sdraio accanto a lui. Non so se sia lui a puzzare o il coniglio. Eppure gli ho fatto il bagno. Nella loro stanza permane quell'odore; lo stesso che c'è nelle scuole. Un misto di terriccio, sudore e matite.

"Come lo sai che non è vera?" mi sussurra complice, staccando un secondo il pollice dalla bocca, biascicando le parole come un fumatore con la sigaretta tra le labbra.

"Perché me lo diceva lei. Mi diceva: ora ti racconto una storia inventata..."

Riprende a ciucciare freneticamente, pensa alla mia risposta.

Davanti alla tomba ho sentito per la prima volta la voce di Teresa. Sapevo che ero io a prestare i miei pensieri ai suoi, i sentimenti di una figlia cresciuta senza madre, a quelli di una donna morta giovane, muta e indifferente. Eppure non era mia la voce, era la sua. Solo anni dopo, quando ho scritto la prima biografia, mi sono imbattuta nello stesso fenomeno. Usavo i miei pensieri per far parlare qualcun altro, le mie frasi lo nutrivano, lo facevano crescere a poco a poco. E così, alla fine, mi rassomigliava come un figlio, ma era un altro.

"Come faceva a sapere la storia dell'uomo con due teste se non l'aveva mai visto?"

La voce gli trema in gola. Nessuna rassicurazione può togliergli la paura. Non crede alle mie spiegazioni, ma solo al mostro con due teste. Lo conosce bene, chissà da quante sere lo vede, quando Luca o io spegniamo la luce. Vede i due faccioni attaccati allo stesso collo. Le mani che asciugano la saliva dalle bocche; una sorride, l'altra bestemmia. Immagina di distrarsi e di avvicinarsi a quella che gli sorride e lo invita ad accostarsi. E all'improvviso, l'altra gli addenta una guancia e lo morde a sangue. Il mio racconto, anzi quello di Régine, è più reale di ogni altra realtà.

"E va bene, forse quest'uomo esiste, però Régine dice che è morto."

Giuseppe toglie di scatto il pollice dalla bocca e si tira su eccitato.

"E come lo sa?"

Lì voleva arrivare, lo sento subito sollevato.

"Gliel'hanno raccontato."

"Ma non l'ha visto morto."

"Non l'ha neanche mai visto vivo, se è per questo."

Si stende di nuovo a ciucciare, scoraggiato dalla poca attendibilità delle vicende di questo mondo.

"Molte cose non sai di me," diceva la voce di mia madre davanti alla sua tomba, "le verità di tuo padre non erano le mie. La ragione era dalla sua parte, ma non la verità. Il vestito rosso l'ho lasciato per te, perché tu potessi avere una prova della mia esistenza. Ti ho immaginato crescere in mille modi, ho fantasticato sulle tue età. Detestavo l'idea che fosse tua nonna a farti da madre. Ho detestato tutto di lei fin dal primo giorno. Il fatto che mangiasse la frutta marcia, che adorasse tuo padre come un amante, le sue gonne scure con le camicette bianche chiuse fino al collo, la sua rettitudine. Non potevo restare. Non so spiegartelo, se vuoi lo capirai un giorno, anche se con me non ti potrai riconciliare. In certe stagioni mi piaceva vivere 'in villa'. Il mare non rassomigliava al mio, la distesa d'acqua livida davanti alle finestre della casa segnava la distanza da ciò che avevo lasciato: me stessa, anche se, come ti ha detto tuo padre, non mi sono mai valutata tanto.

"Gli alberi del giardino erano belli, anche se le arance erano piccole e immangiabili, e poi il verde non mi ha mai commosso, preferisco il blu del mare. Non amo il verde tanto amato da tua nonna, né camminare nella natura (come facevamo ogni sera), né i portatovaglioli ricamati da lei, le presine, i centrini sui mobili per non 'sciuparli', il silenzio a tavola, la punta gelida delle mani di tuo padre. E molte altre cose ancora – sono stata sempre insofferente – ma nessuna di queste può valere il tuo abbandono, perciò non indagare, vai avanti, forse un giorno ci incontreremo. Ero bella, prima che la malattia mi strappasse i capelli castani, spessi e lucidi, facesse avvizzire le guance e trasformasse il verde degli occhi in grigio. È durata poco, ma ho sofferto troppo."

"Comunque qui non può entrare..."
"Chi?"
"L'uomo con le due teste..."
Giuseppe non conosce ancora le lontananze geografiche, le distanze tra i luoghi; tutto si compie allo stesso tempo, nello stesso posto, qui, nella sua stanza. Appoggio il viso contro la sua guancia e la sniffo come fa lui con il coniglio.
"No, non può entrare. Primo perché abbiamo fatto rifare

tutte le finestre. E secondo io e papà se solo qualcuno prova a farti del male lo atterriamo e lo picchiamo a sangue."

"Non colpite la testa buona però..."

"No, quella no, gliela lasciamo stare... Ora dormi."

"Raccontamela di nuovo... "

"No, adesso no..."

Si volta verso di me, è così vicino, getta gli occhi scuri enormi dentro i miei.

"Ti prego..."

"Chiudi gli occhi..."

Le ciglia lunghe mi spazzolano a colpetti la tempia.

"C'era una volta in Alta Savoia un uomo con due teste..."

La voce di Antonia e quella di Teresa mi paiono rincorrersi e accavallarsi, non so quando finisce di parlare l'una e quando comincia l'altra. È stato così fin dall'inizio di questo lavoro, ora me ne rendo conto. Non so perché sia avvenuto, che cosa leghi la scultrice grassa a mia madre. La storia che devo scrivere e quella di Teresa che non ho mai veramente conosciuto. Tutt'e due sono nate a Napoli, anche di questo mi accorgo solo ora. Antonia nel millenovecentoventicinque e mia madre nel trenta. Forse si sono sfiorate per strada o si sono incontrate tra altra gente.

A diciotto anni Antonia è partita per Roma, si è iscritta all'accademia. Teresa invece è rimasta a Napoli dopo la scuola, frequentava gente ricca, si è legata a uomini che la mantenevano, così mi hanno lasciato capire mia nonna e mio padre. Faceva una vita di bagni, di gite alle isole, di barche, di feste. Una vita simile a quella delle fotografie capresi di Antonia e Malù. E se si fossero veramente incontrate? Se fosse questo il motivo della sua biografia? Fin dall'inizio, dal primo giorno che l'ho vista nel salottino dei souvenir, ho avuto la sensazione di non riuscire a mantenere la distanza giusta. E con la sua prima frase, ora ricordo, mi raccomandava di non avvicinarmi troppo. A che cosa?

Il respiro regolare di Giuseppe mi solletica l'orecchio. La mano con il pollice umido si sta staccando dalla bocca lentamente. Il suo sonno è contagioso, chiudo gli occhi. Non dovrei dormire. Devo alzarmi e andare di là, mettere a posto il lavoro, scrivere gli ultimi appunti, ragionare a mente lucida su queste coincidenze. Ma forse il sonno aiuterà a chiarire ogni cosa. Come dice Antonia, non si può scrivere con la volontà.

In sogno entrerò nell'ultima stanza in fondo alla casa, quella che dà sul cortile con gli alberi d'arancio. Fuori si sente il rumore delle suole delle bambine che sbattono sul selciato del cortile; saltano giocando all'elastico. L'odore di aghi di pino bagnati s'infiltra anche con la finestra chiusa. Nella stanza c'è lo stesso silenzio che riesco a fare dentro di me quando finalmente mi raggiunge la voce di un personaggio di cui devo scrivere. Un silenzio interrotto da un sussurro.

Com'è immobile tutto nella stanza, eppure pieno di vita! Di vite innumerevoli. Ogni oggetto proviene da un'altra casa, è un souvenir di un'altra storia. La stanza racchiude tutto, come pensa Giuseppe. E se ci si avvicina al vaso di gelsomini appoggiato sul comodino accanto alla donna che dorme, si vede, riflessa nella ceramica lucente, distorta dall'ansa come nei vasi greci, la madre di Antonia, seduta accanto al muro di cinta che racconta la storia d'amore della sua vicina di stanza.

Forse avrò il tempo, prima di svegliarmi, di avvicinare l'orecchio alla bocca della donna che dorme, il viso appoggiato sulla pila di cuscini. La bocca si muove incessantemente. Non l'ho mai udita, ma so che la sua voce senza suono contiene tutte le altre, quella di Teresa, di Antonia, di Régine, di mio padre, della signora Arrivabene e di Malù di cui non so ancora...

9

"E allora sono solo coincidenze, nient'altro?"

Siamo in auto, andiamo a cena da amici e siamo quasi arrivati. Se ci pensa così a lungo, non avrà il tempo di darmi la sua opinione.

"Luca?"

"Ci sto pensando, dammi tempo. Certo che sono coincidenze, vuoi che lei ti abbia chiesto di scrivere la sua biografia perché conosceva tua madre?"

Ascoltandolo mi viene da pensare che sarebbe una bella trama. Luca mi lancia uno sguardo e sorride.

"Altro che biografie, dovevi scrivere romanzi, Chiara."

Quest'uomo è senza vergogna.

"Ti dimentichi che ci ho provato. Ti ricordi? Avevo cominciato a scrivere la sera nel residence in montagna, quando aspettavo Giovanni e poi ci ho riprovato due anni dopo, quando è nato Giuseppe, te ne ricordi?"

Guida pacato, tranquillo, nessuna tempesta lo agita.

"Cosa mi devo ricordare? Hai cominciato a scrivere una storia, era bella, mi ricordo la descrizione di una casa abitata da un sacco di gente, qualcosa del genere. In una stanza, in fondo alla casa, dormiva una donna misteriosa. Forse era ancora da sviluppare, un po' troppo simbolico, ma lo sono tutti i primi libri. E poi hai smesso. Ecco quello che mi ricordo."

Mi chiedo sempre a questo punto se lo fa apposta o se pensa davvero ciò che dice. Non devo perdere la calma, non devo alterarmi. Siamo quasi arrivati e non ci sarebbe neanche il tempo per litigare.

"Secondo te una donna che ha figli riesce a scrivere senza problemi?"

Non conosco nessuno che sappia posteggiare l'auto con la sua precisione, riesce a entrare in spazi angusti, muovendo lo sterzo con una mano sola.

"No, certo qualche problema in più ce l'ha, ma come per qualsiasi altro lavoro. Prendi la bottiglia prima di scendere."

Non lo fa apposta, sarebbe un mostro. Che cosa ci siamo detti tutti questi anni? Chi è quest'uomo che mi cammina accanto? Antonia, dove sei?

Non entrerò nel portone con lui, non posso stare tre o quattro ore a far finta di niente, in mezzo a gente che ignora questa assoluta incomprensione.

Tutto è perduto. Ho visto nel suo cuore un improvviso *raffreddamento*, come lo chiama Anna Karenina, punta di un iceberg che fa immaginare abissi di gelo. Ho avuto due figli con lui, mi pareva conoscesse ogni dettaglio della mia personalità. Le sue mani piccole mi accarezzano e risvegliano zone del corpo nascoste a tutti; la sua bocca aderisce alla mia e sembra la stessa recisa in due parti; gli occhi neri entrano nei miei come quelli di suo figlio. Il pensiero del modo in cui mi guarda quando facciamo l'amore mi fa venire voglia di abbracciarlo. Invece è uno sconosciuto, un essere gelido, un uomo che di me non ha capito nulla. Meglio proseguire, andare alla stazione e gettarsi sotto il primo treno. Lasciarsi tutto alle spalle, perdere la memoria di ogni affetto; abbandonare anche i figli, vivere in una camera squallida con qualche libro e nessun ricordo, ricevere di tanto in tanto un giardiniere diverso di cui non si conosce il nome.

Se lui potesse sapere di questo continuo tradimento di cui favoleggio, d'amore non di sesso, perché solo l'amore tradito fa male. Allora saprebbe quali tempeste possono agitare l'essere umano e mi supplicherebbe di amarlo di nuovo. Mi chiederebbe in ginocchio di raccontargli del residence in montagna, del romanzo interrotto, dei bambini e dei sogni di case che conosco ma in cui non ho mai abitato.

Ma il romanzo dell'Ottocento purtroppo è finito, non nei sentimenti ma nelle azioni. Forse per lui anche nei sentimenti. Così saliamo le scale verso l'appartamento della cena, senza una parola, lui davanti e io dietro.

Fisso il bordo della sua giacca. I pensieri che lo eccitano sono diversi dai miei, come il giorno e la notte. Chissà se lo conosco come credo. Ha una freddezza, una lucidità che non gli permette di perdersi mai; non ama i miei psicodrammi; fugge i drammi in generale. La sua vita deve essere semplice dal lato mio; molto complicata dal lato professionale, che lo smuove in profondità, come il sesso, e non lo fa dormire la notte. Finge di non essere ambizioso, ma darebbe via ogni cosa, anche me, per essere il primo a elaborare l'idea sul mondo mercato a cui pensa in continuazione. Quando ne parliamo, può arrivare l'alba e non se ne accorge. Lo ascolto e sogno quella passione su di me.

Saliamo l'ultima rampa di scale e dico senza accorgermene:

"Quando scrivo mi pare di nutrire i personaggi di parole".

Non si volta neanche.

"Bello, chi l'ha detto?"

"Io."

Suona il campanello senza guardarmi. Allora gli mormoro tutto d'un fiato e mi pare che il cuore esca dal petto.

"Quello che non sai è che la letteratura non riesce ad arrivare alla fantasia della vita. E inoltre ti sfido a trovare dieci scrittrici con figli."

Mi guarda stupito dalla violenza del tono.

"Chiara?"

La porta si apre, entro subito, felice che non abbia avuto il tempo di rispondermi. Con un sorriso saluto la padrona di casa. So essere anch'io tagliente e impenetrabile, ma per poco. I rapporti formali mi annoiano. Ne ho avuti a sufficienza nell'infanzia, presuppongono molto tempo per conoscersi, invece una vita non basta.

Tutta la sera ho navigato con un bicchiere in mano, tra gruppi umani, da una conversazione all'altra, senza mai perderlo con lo sguardo; mi è tornato in mente il nostro incontro a quella festa di tanti anni fa. Quella sera era stato lui a guardarmi per primo. Poco dopo avevo fatto l'amore sul letto di una stanza sconosciuta, con uno sconosciuto che sarebbe diventato mio marito. In fondo la stessa cosa era capitata con il giardiniere. L'idea di suscitare un desiderio forte mi ha sempre fatto cedere troppo presto.

In auto, tornando, ho parlato incessantemente dei discorsi della cena, in modo che lui non avesse la possibilità di interrogarmi. Ha funzionato, la passione per quegli argomenti l'ha illuso che non ci fosse più nessun problema, ha dimenticato la furia della mia voce.

Appena rientrati, mi sono chiusa a chiave nel bagno. È una mossa grave, significa che non ho voglia di essere guardata mentre mi spoglio. Non cerco di risvegliare nessun desiderio, non voglio che la mia rabbia si annacqui nei gesti del sesso.

Davanti allo specchio provo a guardare il mio corpo nudo con i suoi occhi. Forse ho il seno di mia madre, o il ventre o la schiena. Le gambe sono quelle di mio padre, magre e lunghe, senza forme. Ma il seno è di mia madre, ne sono convinta. Appartiene a un altro corpo, un corpo più largo e morbido. Da lei avrò ereditato anche questa dipendenza dallo sguardo dell'uomo. Ha ragione mio padre, è meglio che sia stata educata da sua madre.

Mi accarezzo come facevo da ragazza, prima dell'alba, quando il giardiniere scivolava fuori della stanza con il libro in mano. Allora potevo chiudere gli occhi e rivedere l'espressione dei suoi davanti al mio corpo nudo; il suo piacere, nella solitudine, diventava il mio.

Il primo desiderio è il cedimento totale, senza orgoglio, senza rispetto di sé. In seguito vengono le strategie, la paura, la vergogna, il disgusto per essersi dati completamente. Sì, anche il disgusto, il sentimento che ha segnato la vita di Antonia, nasce forse da quel cedimento, un tuffo di cui non si calcolano le conseguenze.

Con Luca questa conoscenza è avvenuta sempre e solo attraverso il sesso; le parole non ci hanno mai veramente avvicinato, i figli solo in parte. Forse è la cosa più importante, "se funziona quello", si dice. In questo momento, nuda davanti allo specchio, non lo penso. Mi mancano le parole; vorrei nutrire il nostro rapporto di parole, infilarmi a poco a poco nelle anse della sua personalità, fare di lui un personaggio, una figura su cui elaborare in libertà, non più una persona, mio marito, con cui discuto e m'infurio. Allora il fatto che la sua sensibilità non arrivi a comprendermi non avrebbe più nessuna importanza. Non dovrei mendicare il suo interesse, né cercare di ricordargli come fu duro rinunciare a quel romanzo, le notti in cui combattevo contro il sonno; il pianto dei bambini che mi pare di sentire sempre da allora. Potrei disfarmi di me stessa, gettare via il fardello, e amarlo per prima, come amo i personaggi di cui scrivo, a cui non chiedo nulla, tranne il fatto di essere vivi.

Devo stare veramente attenta, il lavoro comincia a prendermi la mano. Se Luca sapesse che ho sognato di ridurre anche lui a statuina, divorzierebbe. Eppure sono sicura che sarebbe un buon sistema per andare d'accordo, immaginare di vivere con il personaggio di un racconto invece che con un uomo potrebbe essere interessante. Per esempio, prima, quando ho provato l'impulso di gettarmi sotto il treno per il suo distacco, avrei potuto dirgli:

"Sì, hai ragione, sicuramente è una coincidenza da romanzo. Però immaginiamo che Antonia e mia madre si siano conosciute".

Il nostro dialogo sarebbe andato avanti in questo modo:

Luca cerca con lo sguardo un parcheggio impossibile, le strade del centro e i marciapiedi sono coperti di automobili. Non ha voglia di seguire le mie fantasie in questo momento. Ha fame, vuole arrivare alla cena. Quale sarà il momento della sua giornata in cui si abbandona alle fantasie? Quali saranno?

In sogno parla sempre di navi. Suo padre è nato sul piroscafo che portava la famiglia in America. I nonni lavoravano alla radio, erano attori, cantanti, facevano un po' di tutto. Il viaggio in America fu un'andata e ritorno, giusto il tempo di fare nascere suo padre. Già nel porto di New York, il nonno si era giocato tutti i risparmi del viaggio, la nonna riuscì a nascondergli il biglietto di ritorno, infilandolo tra le fasce del neonato.

Luca conserva fotografie della traversata e della festa in onore del bambino nato a bordo. E sogna navi, mari calmi o in tempesta. In seguito suo padre, il bambino nato sull'oceano, è morto quando Luca aveva tre anni, lasciandolo solo, senza fratelli, con una madre che non è più uscita dal lutto.

A diciotto anni è andato via di casa con degli amici, infischiandosene della solitudine di lei, del silenzioso ricatto della sua infanzia. Con degli amici ha raggiunto un capo del mondo, le famose isole Faer Øer, dove ognuno dipinge la propria casa del colore preferito, forse in cerca del bambino nato a bordo, morto troppo presto, per compiere con lui almeno una volta la stessa traversata.

Luca ha vissuto l'infanzia senza padre e io senza madre, un'altra coincidenza da romanzo.

"Potrebbe essere una coincidenza come quella delle nostre infanzie da orfanelli," gli dico.

Ride.

"Sì, hai ragione, qualche volta la vita incrocia le esistenze con intelligenza. Potrebbe anche darsi che si siano conosciute. Come pensi di appurarlo?"

"Non lo so, non posso chiederglielo, mi prenderebbe per pazza. Ma ho sempre la seduta con domande."

Già, ho la seduta con domande, è una buona idea. Tre timidi colpi alla porta mi tirano fuori da quei pensieri, cominciavo ad avere freddo. Mi infilo la vestaglia e gli apro. In pigiama, mi guarda con molta apprensione.

"Ne ho trovate alcune: Natalia Ginzburg, Lalla Romano, Sibilla Aleramo, Sylvia Plath... Bisogna riconoscere che non sempre sono stati rapporti materni riusciti. Comunque a dieci è difficile arrivare, lo ammetto."

Il figlio del bambino nato sul mare è un personaggio imprevedibile.

10

Con Davide abbiamo deciso di incontrarci di nuovo in piazza del Popolo, come se fosse l'unico posto della città. Mi ha telefonato questa notte alle due, ci eravamo appena addormentati.

Tra me e Luca, dopo, non ci sono state discussioni né parole; gli sono andata incontro con la vestaglia semiaperta, l'ho abbracciato. Ho dimenticato tutto, come mi succede sempre, ma questa volta anche che erano i due mesi senza spirale, forse sono rimasta incinta.

Aspettando Davide al nostro tavolino da Canova, ripenso con rabbia ai miei gesti della notte, alla possibilità di un terzo figlio. In un lampo mi vedo aggrappata ai tre bambini, lanciarmi nel vuoto di una finestra aperta. Subito dopo immagino una bambina bruna con la molletta da un lato, come quella di Antonia, che salta intorno a un elastico teso ed è chiamata Reginella dalle sue compagne di gioco. "Si tu as un enfant, tu es sauvée!" Ma se ne hai tre forse muori.

Davide mi ha fatto un cenno da lontano. Non lo riconoscevo, ha i vestiti sgualciti, la barba non fatta, gli occhi cerchiati. Mi chiedo all'improvviso che notte abbia passato anche lui e con chi.

"Buongiorno, scusami il ritardo."

Improvvisamente mi dà del tu, come ci fossimo visti altre volte. Forse ha parlato di me con Antonia, gli sono diventata più familiare.

"Non ti preoccupare, vuoi un caffè?"

"Sì, ne ho bisogno. Ho dormito solo un'ora."

Sarà stata una notte carica di influssi astrali.

"Volevo chiederti se pensi di potere andare avanti con il lavoro," mi chiede appena seduto.

"Perché?"

"Antonia è malata. Questa notte è stata ricoverata in clinica, non ha retto l'ultima chemio. Pensa di sopportare tutto, di avere vent'anni."

Su queste ultime parole scoppia a piangere; il petto è scosso dai singhiozzi, il viso in un attimo si bagna di lacrime. Avvicino la mano alla sua, ma lui l'allontana subito, si asciuga gli occhi.

"Scusami, sono molto stanco. Sono stato con lei tutta la notte. Non si può vedere una persona che ami soffrire così, almeno io non ce la faccio, sono troppo debole."

"È difficile per tutti. Dove ce l'ha il tumore?"

Si asciuga gli occhi con i fazzolettini del bar.

"È cominciato al polmone, due anni fa. Ora è arrivato alla testa e cercano di ridurglielo con la chemioterapia. È lei che lo ha chiesto, vuole vivere anche un mese in più. Quando è stata operata, la prima volta, mi ha detto che su di lei non voleva esperimenti. Non voleva fare la fine della sua amica Malù. Te ne ha parlato?"

"No, non ancora."

"Me l'aveva fatto giurare. E poi ha deciso tutto lei, con il medico francese."

"Non credevo fosse già così avanti."

Davide mi guarda stupito.

"Sapevi che era malata?"

"Sì, me l'ha detto durante il nostro ultimo incontro."

Non se l'aspettava, Antonia lo ha sorpreso di nuovo. Ora sorride, accendendosi una sigaretta.

"Pazzesco. Questa notte sembrava morta. Le tenevo la mano, aveva sofferto ore e si era addormentata. Respirava appena, qualche volta il respiro tardava. Forse non arriva all'alba, ho pensato. Alle sei ha aperto gli occhi, mi ha chiesto l'ora, aveva fame. Dopo un po' è venuto il medico. Hanno scherzato, Antonia faceva battute, parlava del tumore come fosse una biglia. 'Che sarà mai una pallina così piccola, possibile che non possa starsene lì buona e non darmi fastidio.' E poi mi ha detto di spostare l'appuntamento ma di non dirti niente. Invece tu sapevi già tutto. È dispettosa come una bambina."

Faccio segno al ragazzo di portarci il caffè. Davide fuma e si asciuga gli occhi. Provo pena per lui come per Giorgio, forse Antonia è entrata nella sua vita come una possibilità insperata. Penso a come è scoppiato a piangere al pensiero di perderla. Invece lei parla di lui con ironica indifferenza, come di un giovane amante a cui ha trovato un lavoro.

"È da molto che ti occupi delle opere di Antonia?"

"Delle opere, della sua vita. Rispondo alle lettere, l'accompagno nei viaggi, sono il suo segretario. Non mi ha detto niente di te. Ho provato a chiederle, mi ha risposto che andava tutto bene, nient'altro. Vuole sapere se non ti dà fastidio incontrarla in clinica, altrimenti dovrete aspettare una decina di giorni per il prossimo appuntamento. Ha bisogno di altre cure."

"Va bene."

Ci guardiamo un istante in silenzio.

"Ti dispiace se ti chiedo come vi siete conosciuti?"

Sorride compiaciuto, non aspettava altro, forse si era anche risentito che non gliel'avessi chiesto prima.

"Vuoi farmi un'intervista?"

"Non proprio, se no dovrei anche parlare con i fratelli, con gli amici, con la sua vestale."

Ride e vedo di nuovo, sotto l'aria stanca, la bellezza un po' volgare che deve avere sedotto Antonia.

"Vuoi dire Maria, io la chiamo *Rebecca la prima moglie*. Sta con lei da una decina di anni. Dopo la morte di Giorgio, Antonia non ha più voluto vivere con nessuno. Quando stavamo insieme, mi faceva alzare a qualsiasi ora della notte. Voleva dormire da sola. Maria è arrivata quando lei si era già molto ingrassata e faceva fatica a muoversi. Antonia l'ha adottata, come ha fatto con me. Maria è piena di manie: non può restare sola in una stanza con un uomo, non sopporta nessuno accanto quando cucina e vuole occuparsi di Antonia personalmente. Ora per esempio che è in clinica, si dispera perché non può curarla. Curioso come Antonia riesca a provocare questo tipo di dedizioni. Forse perché le detesta; non ho mai conosciuto una persona più indipendente di lei. Sembra sempre pronta ad abbandonarti, suscita negli altri la paura di essere lasciati. Allora vuoi sapere come ci siamo incontrati?"

"Se ti va."

"Quindici anni fa, facevo l'attore."

"Ho trent'anni, non sono ancora nessuno ma penso ci sia tempo per diventare un grande interprete. Lavoro in teatro, ho fatto qualche parte in televisione. Un giorno mi capita di andare in tournée con una compagnia decente, sostituisco un attore malato. Diventare attore e recitare Shakespeare al Teatro Eliseo è stato il sogno della mia adolescenza.

"Nell'appartamento in cui sono cresciuto non ci sono molti libri. Ma mio padre fa il giornalaio, e porta a casa fascicoli di cucito e cucina per mia madre e i classici a puntate per me. Così ho letto i romanzi e il teatro. Mi capita anche di riascoltare lo stesso testo in televisione, recitato da grandi attori. Da solo, nella mia stanza, imito il loro modo di parlare. I miei compagni mi prendono in giro, dicono che parlo pulito, come un libro stampato, che non sembro neanche nato a Roma. Mi fa piacere, io vorrei essere nato sul palcoscenico come Eleonora Duse. Il cinema non mi ha mai interessato, non si recita davanti al pubblico, non s'interpretano personaggi importanti, mi pare un'arte meno nobile.

"Inoltre sono sempre stato molto pigro, vado a letto tardi e la mattina non riesco ad alzarmi. Gli orari del teatro sono fatti per me. Iniziare il pomeriggio, provare fino a notte e poi andare tutti a cena; bere, fumare, andare a dormire con una collega.

"So di piacere alle donne, ho successo soprattutto con le attrici mature. È la mia fortuna, mi trovano sempre un ruolo, anche piccolo, per svoltare l'inverno. Magari devo rinunciare ad altre avventure più interessanti, ma non è un problema. Sono una persona fedele. Dopo qualche mese mi affeziono alla donna con cui sto, mi piace aiutarla a svestirsi la sera, fare e disfare le sue valigie. La mia attenzione le conquista, ma non è calcolata. Trovo piacevole vedere in giro per la stanza d'albergo i loro vestiti, guardare come si truccano, si pettinano, scelgono un paio di scarpe, come passano dalla disperazione alla gioia. Questi sussulti delle attrici mi attraggono molto, la fragilità e la forza si alternano continuamente, senza ragione. Mi pare che sotto la loro pelle ci sia sempre un vulcano pronto a eruttare. E dopo segue l'abbandono, l'amore, e mi cercano. Non mi disturba essere stato ignorato fino a quel momento. Ho gusti strani in fatto di donne.

"Entrare nella loro intimità mi dà lo stesso piacere che gli altri ricavano dalla conquista. Più mi abituo, più mi lego. Per questo sono sempre loro a lasciarmi. E la storia finisce con litigate fondate su niente, ammissioni fasulle estorte dopo nottate di pianti. Ho avuto parecchie relazioni di questo tipo. Perché sono loro a lasciarmi? Non lo so. Soffrono per me, per i miei presunti tradimenti, e poi un giorno passano ad altro. Io mi ritrovo solo, senza donna e senza lavoro.

"Piangono, si disperano, mi accusano di tradirle con donne più giovani che non m'interessano, si torturano. Non c'è mai nulla di vero. La novità non mi attrae; ma loro non ci credono. Pensano che ogni uomo cerchi carne giovane, un viso da ragazza, una voce senza incrinature, l'ingenuità. Per me non significano nulla. Mi accusano di mentire, di non averle mai amate, di avere approfittato del loro successo.

"All'inizio è così, non posso negarlo. Ma poi tutto cambia, ci metto tempo a innamorarmi, e posso amare solo ciò che mi è familiare. Nessuna lo ha mai capito, tranne Antonia.

"Anche quando non devo lavorare, le accompagno fino al palcoscenico, le ascolto dietro le quinte. Tra le mani ho la loro sciarpa o lo scialle, me l'hanno tirato al volo prima di entrare in scena. Lo rigiro tra le mani mentre ascolto lo stesso testo, ogni sera. Le stesse parole raccontano per me storie e sentimenti opposti. A volte l'umore di una sera riesce a cambiare anche il senso della vicenda, a trasformare il dramma in commedia. Mi ricordo un passo, sempre lo stesso. L'avrò ascoltato più di trenta volte.

"'Eccovi le mie poppe di donna; prendetevi il mio latte per altrettanto fiele; ministri d'assassinio ovunque voi siate... vieni notte densa ammantata nel fumo dell'inferno più compatto...'

"Non posso dimenticarmene. Chi era la mia compagna che recitava i versi di Lady Macbeth? Non lo so più. Sento la voce, una sera getta in faccia al mondo la sua cattiveria, la sera dopo, fragile donna ferita, piange il male che porta nel ventre come un figlio sconosciuto. Un'altra sera scandisce gelida le parole e nessuno può indovinare cosa nasconde nel cuore. Io solo lo so perché ero con lei nel camerino fino a un istante prima.

"Rigiro tra le mani la sciarpa che mi ha lasciato in pegno. Di che cosa? In quel momento mi pare che sia la traccia del nostro amore, nascosto agli altri, come la voce che mi arriva dalle quinte, piena di stanchezza, di dolore o di gioia, e racconta a me la verità, scivola sulle stesse parole di ogni sera, usandole e stravolgendole per adattarle alla fragilità mutevole e nascosta che io solo conosco.

"Quando ho smesso di recitare e di innamorarmi delle attrici, recitavo qualche volta per Antonia. Ogni volta cambiavo intenzione, la facevo ridere. Che non sarò mai un grande interprete, lo capisco a poco a poco. Però m'incantano gli artisti, vorrei restare nel loro mondo. Mi piace aiutare chi deve andare in scena, e cerco qualcuno a cui posso non nascondere questo piacere. Perché una cosa l'ho capita: le donne si stufano di chi le sta troppo a guardare. Vorrei incontrarne una che accetti il mio sguardo, che non mi consideri per questo un parassita."

"Parassita, lo eri certo molto meno tu dell'attrice che spiavi. Pensa quante voci aveva ascoltato lei. Da dove pensi che prendesse le sue?"

La parola parassita mi ha suscitato una rabbia improvvisa. Mentre Davide mi risponde con il suo sorriso da seduttore di attrici mature, ne realizzo la ragione.

"Un vero attore non imita nessuno."

Mi dice con la voce impostata del grande interprete che avrebbe voluto essere.

"Usa senza saperlo le voci degli altri. Quando scrivo una biografia mi succede la stessa cosa."

Davide mi guarda.

"Già, in fondo tu sei come me, sei una spia."

"Lo siamo tutti, anche Antonia, se è per questo."

"Antonia non ha bisogno di nessuno."

"Lo sai di chi erano le mani con la cicatrice sulla nocca, la serie di mani di bronzo?"

Davide ora è sulla difensiva, non sono argomenti su cui si scherza.

"Che importanza può avere?"

"Erano le mani di Giorgio, anzi una sola, la destra. Antonia ha fatto un calco di quella mano subito dopo la sua morte".

"Te l'ha detto lei?"

"No, è una donna molto libera, indipendente come dici tu, ma non fino al punto di confessarmi una cosa del genere. Conosco il calco, l'ha venduto a un collezionista di Milano, quando la serie ormai era finita. Però è stata lei a dirmi che la mano di Giorgio aveva una cicatrice sulla nocca. Così vedi, quella mano, aveva paura di perderla."

Mi fissa incredulo.

"Ha fatto il calco della mano a un morto?"

"Al suo amore morto. Si fanno ovviamente calchi dei volti di uomini famosi sul letto di morte. Per i posteri, per ricordare. Lei lo ha fatto a uso personale, per scolpire la sua serie di mani, forse la serie più famosa delle sue sculture."

"E vuoi scriverlo nel libro?"

"No, volevo raccontarlo a te. Prima di conoscerli da vicino, avevo la stessa idea sacra degli artisti."

Ci pensa su un po', raccogliendo lo zucchero in fondo alla tazzina.

"Non ne ho per niente un'idea sacra, dimentichi che l'ho conosciuta molto intimamente, anzi sono stato il suo ultimo amante. Non puoi negare però che quando scolpisce, si trasforma, come le vecchie ballerine di liscio che sulla pista sembrano leggere ragazze. Ma forse tu non l'hai mai vista scolpire."

"No, non l'ho mai vista."

Davide sorride, gli occhi s'illuminano. La vede lì, ora, mentre lavora con lo scalpello.

"Quando abbiamo cominciato a frequentarci, non abitava ancora nella casa che conosci, lavorava nel vecchio studio della Villa Strohl-Fern, lì dove era morto Giorgio. La prima volta ci siamo incontrati a casa di amici, tardi la sera, in un dopo teatro."

"Nelle serate Antonia parla poco, osserva e mangia. Qualche volta prende parte a una discussione che la interessa e diventa polemica, violenta, insofferente a idee diverse dalle sue. È la persona più conosciuta in quel salotto e io mi siedo accanto a lei per ascoltarla. Non ricordo l'argomento, ma il modo in cui tratta la questione mi affascina. Forse è di politica che si parla, forse d'arte. Una sua frase non la dimentico: 'Niente resta, nei fogli scritti si avvolge il pesce, il marmo si sbriciola, e l'archeologo rimette insieme. Ma il piacere di farlo non te lo toglie nessuno'. È una frase su cui dopo, quando ci siamo frequentati, abbiamo discusso molto. Quella frase mi libera improvvisamente da ogni frustrazione. Recitare anche poche battute, stare accanto agli attori, mi fa felice e allora perché mi vergogno ogni volta che dico: 'Faccio l'attore'?

"Il giorno dopo ne parliamo insieme nel suo studio, mi ha invitato a prendere il tè. Le ho comprato un mazzo di mimose che lei sistema subito in uno dei vasi di Giorgio. È contenta, mi racconta del suo amore per lui, della morte, come se volesse dirmi che niente può essere più come prima, soprattutto la relazione con un uomo. La capisco bene, anche per me è difficile sostituire la persona amata. Con Antonia mi sento subito libero. Le racconto le storie con le attrici, la passione del palcoscenico. Mi ascolta, si diverte e poi mi chiede perché mi vergogno di dire che faccio l'attore. È la prima volta che qualcuno me lo chiede. 'Se uno è un attore, non dovrebbe avere bisogno di presentazioni,' le dico ridendo. 'Allora è perché non sei conosciuto?' mi chiede diretta, come fa sempre. Sì, certo, è per questo e perché so che non lo sarò mai, che ero in cerca di applausi che non verranno.

Ne parliamo fino a sera; intorno a noi gli strumenti e i pezzi coperti dai teli sembrano testimoni muti delle nostre parole. Antonia mi racconta di sé, degli inizi e ancora della morte di Giorgio. A un certo punto, tardi nella notte, mi prende una mano e me l'accarezza."

Non lottare contro te stesso, non ti fare del male, me lo devi promettere. Lavora in teatro solo finché hai voglia di farlo. Se diventeremo amici, voglio morire prima di te.

"Mi tiene ancora per mano mentre saliamo al piano di sopra. Su un lato del letto, sparpagliati, ci sono i suoi vestiti. Antonia spende molti soldi in vestiti che poi non mette, li ho sempre visti in giro per casa. Spende tutti i soldi che guadagna. Quella sera, la prima, ci lasciamo cadere sui pullover, sulle camicie che odorano della sua pelle bruna ancora tesa e di un leggero profumo di gelsomino. Inizierò a regalarle quel profumo. Antonia mi accoglie senza esitazioni. Lembi di abiti strizzati dai nostri corpi nudi mi coprono il viso, mi trattengono una gamba, m'impediscono di toccarla. Me ne libero e la stringo di nuovo. Mi sembra di ritrovarla ogni volta, ma sono incontri precari, destinati a finire. Quei vestiti che ci avvolgono, che ci avvolgeranno ogni volta che faremo l'amore, mi fanno entrare nei giorni della sua vita che non conoscerò mai. I giorni d'inverno in cui esce a passeggiare col cappotto rosso, quelli d'estate in cui suda anche nelle camicie leggere perché non riesce a dimagrire; i pomeriggi in cui lavora con il pullover verde di Giorgio. Il nostro amore, il mio per lei, è un attaccamento ai momenti della sua vita senza di me, quelli di oggi e quelli del passato, che lei mi lascia toccare solo sul letto ingombro di vestiti.

"La notte mi svegliano i colpi di martello, il ronzio del trapano. È il segnale che devo andarmene. L'intimità tra noi è finita, Antonia se n'è dimenticata, come avesse agito sotto l'effetto dell'alcol o fosse stata una sorella gemella a essersi sostituita a lei negli abbracci. Ma quella è la prima notte e ancora non so che sarà così ogni volta. Scendo la scala e, prima di vederla, i miei occhi sono investiti da una cascata di frammenti di bronzo. Una pioggia dorata l'avvolge come l'aureola di una santa, fa tremare la luce intorno a lei, rallenta i movimenti. La vedo scolpire per la prima volta. La concentrazione m'incanta; un silenzio che accomuna lei e il pezzo, un silenzio non coperto dal frastuono degli strumenti. Nessun rumore le arriva all'orecchio; la forza con cui colpisce non sembra sua e neanche i movimenti frettolosi, intermittenti, dello straccio che ripulisce dai detriti di bronzo i tagli nella materia. Quei movimenti m'impressionano, rassomigliano a quelli dei pazzi nei manicomi. Non si riesce a coglierne la motivazione, sono comandati da una coscienza che sfugge, come la determinazione felice che Antonia ha sul viso. I lineamenti non ne sono intaccati, la bocca non sorride, le palpebre basse coprono l'espressione degli occhi, così che non si sa da dove provenga, eppure è là, sul suo volto.

"Mi siedo su uno scalino e l'osservo lavorare. Non so se sappia della mia presenza. Forse è una consapevolezza vaga in confronto alla precisione dell'attività che la anima, non può dedicarle un istante di quel tempo. Antonia lavora in piedi, senza interruzione, per ore. Poi si siede a guardare il pezzo come lo vedesse solo in quel momento, infine, come una bambina ordinata che mette via la bambola dopo averci giocato, lo ricopre.

"Qualche volta la stanchezza le viene di colpo, chiude gli occhi e si addormenta reclinata sul divano. Abbandonato come un sacco ormai vuoto, il corpo somiglia alla riproduzione della maternità di Moore che Antonia ha appeso sul muro bianco della stanza. Non c'è più nulla di erotico in quel corpo, niente che ricordi il desiderio con cui mi ha accarezzato al piano di sopra, eppure vorrei stendermi accanto a lei, senza svegliarla, e godere la pace assoluta di quel sonno.

"Non posso farlo, lo so. L'ho scoperto qualche notte dopo la prima in cui siamo stati insieme. Di nuovo mi svegliano i colpi, di nuovo mi fermo sulle scale a guardarla. Quella sera è così stanca che si addormenta subito, senza neanche ricoprire il pezzo a cui lavora. La stanza è gelata e lei ha infilato sul corpo nudo solo il pullover verde. Mi avvicino piano con l'idea di usare il telo gettato sul pavimento per coprirla. Lo raccolgo senza fare rumore e mi fermo a guardare la forma di bronzo che lei sta pulendo: una spalla in torsione che sembra fumare ancora come un pezzo di pane estratto dal forno. Appoggio la mano nel punto della torsione, là dove sembra nascere il calore. La sua voce, rauca, lenta, irriconoscibile, mi gela. 'Vattene.'"

"Questa seconda Antonia non l'ho mai più incontrata. Sembra strano, dato che ci conosciamo ormai da oltre vent'anni, ma è così. Lei non ne ha mai più parlato. Capivo quando era il momento di andarmene. Succedeva la notte, o nei giorni di festa, quando pensava che era giusto che io stessi con gli amici o in famiglia. Allora mi diceva di andare via, voleva stare sola. Non ha mai invaso la mia vita né chiesto spiegazioni per le mie assenze. Eppure non mi sono mai sentito solo da quando la conosco. Non mi ha mai respinto, mi ha aiutato in ogni occasione e quando non trovavo più nulla in teatro, mi ha proposto di lavorare per lei. Ogni tanto mi sgridava perché non facevo un bambino. Me l'ha detto tante di quelle volte che alla fine ho ceduto."

"Sei sposato?"

"Sono stato sposato, non con un'attrice, per carità! Una mima."

"Capisco, almeno non cambiava voce," gli dico ridendo.

"Esatto, ha un bell'accento veneto e basta. Una ragazza

che era a Roma per fare teatro. Ad Antonia piaceva molto, diceva che era la prima donna vera che avevo incontrato. Quando le ho annunciato che ci volevamo sposare, mi ha baciato. Da quel giorno non mi ha mai più fatto salire al piano di sopra. Dopo la separazione, mia moglie è tornata a vivere a Padova. La mia bambina è mima anche lei. Ogni volta che viene a trovarmi, Antonia la invita a pranzo. Teresa le fa vedere i numeri nuovi che ha provato con la madre. Antonia l'adora, ha voluto comprarle la casa in cui abitano a Padova. Non vuole che tutti i suoi soldi vadano ai nipoti, ai figli dei fratelli."

"Teresa, un bel nome," gli dico senza lasciare trapelare nessuna curiosità.

"Si doveva chiamare Antonia, ma lei si è opposta in tutti i modi. Ci ha suggerito di chiamarla Teresa, a mia moglie piaceva."

Non lo ascolto più, ho urgenza di andarmene. Non è stato il caso ad avermi fatto incontrare Antonia. Ogni storia, sogno, pensiero, fantasia suscitati dalle nostre conversazioni, mi paiono ora pezzi del corpo di mia madre.

Mentre Davide parla ancora della sua Teresa, vedo mia madre uscire dalla terra che la ricopre da venticinque anni.

Mi appare in una camicia da notte bianca, con i merletti, chiusa fino alla gola. Una camicia da notte che una donna viva non metterebbe mai. Soprattutto lei che amava mostrare il suo corpo. L'abbronzatura delle isole lo rendeva dorato, dello stesso colore della sabbia.

La camicia, comprata dalla madre in un famoso negozio di corredi, doveva servire per la prima notte di matrimonio. Teresa non l'ha mai portata, neanche quella notte. Mio padre voleva stringere il corpo dorato dal sole e illudersi che fosse suo. Così, durante la sua vita in villa, la camicia è restata nel fondo di un cassetto.

La notte in cui se n'è andata – forse era giorno, ma da quelle parti, d'inverno, la fine del grigio e l'inizio del buio si confondono – Teresa ha esitato se infilarla nella valigia. Era ancora nella carta velina, la stessa che avvolgeva le bomboniere sparse sui mobili della villa, sopra i centrini lavorati da mia nonna, in cui Teresa spegneva con rabbia la fine delle sigarette.

La portò con sé, non pensava che un giorno si sarebbe sporcata di terra scura, che sarebbe servita per coprire di merletti un corpo scarnificato dalla malattia.

"Quando potrò incontrare Antonia di nuovo?" gli domando cercando il conto sotto la tazzina.

"Lascia, faccio io. Non prima di due o tre giorni, ora è troppo debole per parlare. Ti è stato utile il mio racconto?" mi chiede con il sorriso da attore invecchiato.

Vorrei rispondergli di sì, che non può immaginare quanto, ma penso che lo riferirebbe ad Antonia. La ragione per cui lei mi ha chiamato a scrivere la sua biografia deve uscire fuori da sola, senza interferenze esterne.

"Mi è stato molto utile, certo. Bella la descrizione di quei momenti, di notte, in cui scolpiva pezzi che sembravano ancora caldi, come fossero vivi o strappati a un corpo sepolto da poco."

"Una bella immagine, brava."

Ci alziamo insieme.

11.

Mio padre passa le giornate seduto nella sua stanza in fondo all'appartamento, ma dall'ingresso la sua presenza è annunciata dal profumo di colonia. La colonia con cui l'infermiere lo friziona, che serve a evitare le piaghe e a coprire gli odori della vecchiaia e della malattia. Dopo averlo lavato, l'infermiere lo porta con la sedia a rotelle davanti al tavolo dove ha lavorato per tutta la vita. Lì ha scritto i pezzi per il giornale, raccolto gli appunti per un libro che non è riuscito a finire (come è successo a me), lì ha incollato con pazienza le nostre fotografie negli album, e letto i suoi adorati libri di storia.

Non so perché abbia messo tanta cura nell'incollare le fotografie che ci scattava lui stesso, a sua madre e a me, sempre nelle stesse occasioni. Gli album sono pagine di anni passati negli stessi luoghi. Io e la nonna in piedi davanti all'albero di aranci, accanto alla finestra della mia stanza, sul prato con le margherite appena sbocciate, sotto l'albero di Natale, a tavola per il pranzo di Pasqua, sempre a tre. In alcune immagini della mia prima infanzia compare anche Régine. Sono le uniche a essere disturbate dalla sua risata. Sono un po' storte, sfocate, come se mio padre fosse stato distratto dalla sua presenza irruente. Mia nonna è sempre identica, sorride alla macchina che mio padre tiene in mano, per non dispiacergli, ma c'è impazienza nel suo sguardo, deve scappare via, ha da fare.

Con gli stessi sfondi della villa alle spalle, cresco io e si rimpiccolisce lei. I miei capelli sono lunghi e i suoi bianchi, raccolti dalla retina invisibile. Il suo viso si fa più dolce con l'età; qualche volta tiene la mano sulla mia spalla, mi guarda fiera come una piccola madre. Ho cominciato ad amarla da quando è più fragile, meno autoritaria. È l'unica donna della mia vita che non se n'è andata, ora lo capisco, anche se mi danno ancora i nervi la sua compostezza eterna, la sua implacabile perfezione. Ma provo anche tenerezza per le sue mani contorte dall'artrosi. Le copre con la manica per non farsi compatire; l'umidità della sua villa amata le corrode come se le immergesse ogni mattina nell'acido.

Una notte, prima dell'annuncio della morte di Teresa e subito dopo avere ospitato il giardiniere nella mia stanza, apro senza fare rumore la porta della sua camera. I capelli bianchi, che non ho mai visto sciolti, sono sparsi sul cuscino; il piccolo corpo è rannicchiato su un fianco come quello di una bambina. Le mani infilate nei guanti di lana che si rifiuta di portare di giorno.

Nonna, fa così freddo, hai spento il riscaldamento per risparmiare e ora che se n'è andato il mio amico, mi battono i denti, non riesco a fermarli, non riesco a riaddormentarmi.

Si tira su di scatto, spaventata. Automaticamente si ravvia i capelli con le mani e cerca sul comodino, nel buio, le forcine trasparenti per fissarli.

"Chiara, cosa succede, stai male?"

Mi getto sulle sue ginocchia in lacrime.

"Sì, sto male, nonna, sto male. Ho freddo, Régine è andata via, tu e papà non parlate mai. Raccontami qualcosa di Teresa, perché se n'è andata, perché la detestavi? È per colpa tua che è andata via, per colpa mia o di papà?"

Ha acceso la luce e quando alzo il viso verso di lei, ha già ricomposto i capelli nella retina. Il lenzuolo tirato su fino al collo. Mi tiene la mano tra i guanti di lana che lei stessa ha lavorato all'uncinetto.

"Come posso giudicarla. Ha fatto soffrire tuo padre, era così diversa da noi, non ho un metro di giudizio né so esattamente perché ti abbia lasciato. Perché non ha lasciato solo lui, ma anche te. Era sempre tesa, anche quando ti prendeva in braccio."

"Hai un anno e mezzo, ti tiene stretta tra le braccia e passeggia con te nel giardino. Fa freddo, ma non oso dirle che ti raffredderai, che ti verrà la febbre. Non trattiene più la rabbia, come nei primi tempi. Esplode contro tuo padre, contro di me, non si sa mai quando. Più che passeggiare, cammina veloce, tiene il tuo viso attaccato alla sua guancia e non guarda in terra, ha gli occhi chiusi. Sembrate due innamorati più che una madre e una figlia. Vi sto fissando già da qualche minuto dalla finestra della sala, ho paura che cada con te in braccio, ma non ho il coraggio di intervenire. D'un tratto mi pare che acceleri, corre come se cercasse una via d'uscita dal giardino, probabilmente è un gioco perché tu ridi senza paura. Un giorno potrebbe andarsene con la bambina, penso con angoscia. E vi vedo vagare per una strada, senza bagagli, sorridenti, mano nella mano. Ti porterà con sé dovunque, agli incontri con gli uomini, nelle strade della sua città di mare che mi ha fatto paura ogni volta che ci ho messo piede. Penso alla madre, a come crescerai con lei. Diventerai uguale a Teresa e niente ti resterà di tuo padre, di questa casa, di me. Farai teatro di ogni sentimento, come fa lei quando vuole ottenere qualcosa; come faceva la madre con me quando ci siamo incontrate. Ti insegneranno l'arte dell'esagerazione, delle lacrime facili, dell'esaltazione che fa passare gli individui dalla gioia alla disperazione senza motivo. La tua vita sarà dominata dal destino avverso, dalla sfortuna che nasconde ogni errore, copre ogni responsabilità. Non c'è scelta, non c'è nulla in comune tra noi, o sarai come lei o come noi. Se vuole andarsene, sarà senza di te. Lo giuro a me stessa.

"Ti ho tolto a lei piano, ma se avesse voluto opporsi, avrebbe potuto farlo. Non era in grado di crescerti. Non riusciva ad alzarsi la notte quando eri malata, non era capace di darti degli orari. Ti portava nel suo letto e poi quando piangevi, ti consegnava a tuo padre. Così finivi nella tua stanza e io restavo con te. Ormai non passavate insieme più di qualche minuto. Aveva paura di portarti fuori, di giocare nel prato o leggerti un libro. Tuo padre ha cercato di aiutarla inutilmente. Sapeva di esserti diventata estranea. Non mi sento colpevole di questo, so che non avrebbe potuto crescerti da sola o lo avrebbe fatto in un modo che per noi non era accettabile."

Restiamo in silenzio. Le lacrime si sono arrestate. Capisco il suo racconto, mi irritano ora le oscillazioni del carattere di Teresa. La passione con cui mi tiene stretta mentre passeggia nel giardino mi sembra un eccesso, rassomiglia alla rabbia con cui mi consegna piangente a mio padre. Per la prima volta, da quando m'interrogo su di lei, non mi pare una grande sciagura che se ne sia andata. A cosa serve una madre oltre che a dare cura, pazienza, un affetto stabile? Mia nonna dice che era incapace di farlo, è giusto che se ne sia andata, giusto che io viva finalmente la mia vita senza rimpiangerla. Mi alzo e le do un bacio sulla guancia raggrinzita come una mela vecchia. Mi accarezza la fronte con il guanto di lana ruvido com'è lei.

Mi attraversa il pensiero del mio ultimo incontro col giardiniere, sento ancora l'odore del suo corpo sulla pelle.

"Te la ricordi quella fotografia in cui somigliava a Grace Kelly?" le chiedo prima di andarmene.

"Quale?"

"Quella con cui giocavo da bambina, quando ritagliavo i ritratti della principessa di Monaco perché le rassomigliava."

Mi guarda smarrita, non ne sa nulla. E poi Teresa non rassomigliava affatto a Grace Kelly, era bruna e il viso era più irregolare, mi dice.

"Forse hai trovato su una rivista la fotografia di una bella donna e hai immaginato che fosse lei."

Sarà andata così.

"Tuo padre aveva raccolto in un album solo fotografie di Teresa. Dei loro viaggi, di Teresa con te. L'album è sparito, non ho mai osato chiedergli se l'avesse gettato o se fosse stata lei a portarlo con sé. Non hai mai visto una fotografia di tua madre?"

Ne avevo una, l'avevo presa dal cassetto del comodino di papà, quando si è ammalato, durante il trasloco in cui ho dato via, con la stessa foga con cui lui avrà gettato l'album di fotografie di Teresa, tutto ciò che conteneva la villa della mia infanzia. Era un ritaglio di giornale, una rivista forse. Teresa era di profilo – sempre che fosse lei, ora dubito di ogni cosa – seduta tra altri, forse durante una festa. Non c'erano date, né nomi. Ma non l'ho più trovata, la conservavo in una scatola, insieme alla macchina fotografica di mio padre. Ci avranno giocato i bambini.

Davanti al tavolo dove lo sistema tutti i giorni l'infermiere, l'uomo curvo e silenzioso, mio padre, sfoglia album di fotografie tutte uguali. L'infermiere gli mette davanti il giornale, qualche volta un libro che ho scelto per lui dalla libreria o uno degli album. Lui fissa persone di cui non sa più nulla, o almeno così sembra, anche se la loro presenza lo tranquillizza. Scorre con le dita sul bordo delle fotografie, non osa toccare i volti. Lo fa sempre con la stessa espressione di terribile, profonda serietà. Mi ricorda il modo in cui Giovanni e Giuseppe, appena nati, scrutavano le cose. Sembravano reduci di un altro mondo; con il passare dei giorni, lo sguardo alieno scompariva, cominciavano a sorridere, a prendere contatto con noi, dimenticavano il mondo precedente. Gli occhi di mio padre, invece, sembrano ogni giorno avvicinarsi a quel mondo, staccarsi dal tavolo, dal libro, dalla sedia dove siede senza averlo deciso.

Non vengo mai la mattina, non ho tempo, approfitto delle ore in cui i bambini sono a scuola per lavorare. La visita a mio padre si fa il pomeriggio, dopo la scuola. I bambini corrono a fare merenda in cucina, prima di litigarsi il videogioco che Luca ha sistemato in salotto. Bacio papà, mi siedo accanto a lui. Qualche volta gli parlo, per la vecchia abitudine di raccontargli cosa ho fatto durante il giorno e di chiederlo a lui; altre sto in silenzio, ogni parola è superflua, lui non si accorge della mia presenza.

Eppure, osservando bene, piccole diversità ci sono di giorno in giorno. L'infermiere mi racconta che certe volte trova il giornale a terra, il libro aperto e un segno di matita su una pagina. Mio padre è riuscito a tirarla fuori dal portamatite, la tiene in mano e la guarda. I suoni che articola possono essere più o meno forti, gutturali o acuti, si accompagnano a movimenti sussultori delle mani. Indicano rabbia o sollievo. È un vocabolario sconosciuto, su cui nessuno ha riflettuto, privo di certezze. Estraggo la sedia a rotelle dal tavolo, la rigiro verso di me, mi siedo di fronte a lui. Gli prendo il viso tra le mani e lo tiro in su, in modo che possa guardarmi.

"Papà, sono venuta di mattina, hai visto. Avevo bisogno di vederti senza i bambini. Mi stanno succedendo tante cose. Ti ho parlato di Antonia, la scultrice. Io credo che conoscesse Teresa."

Mi fermo, ripeto la parola, Teresa. Nessuna reazione né suono, nessun movimento.

"Non ne sono certa, lei non me ne ha mai parlato. Ma sta male e il fatto che si sia decisa a incontrarmi ora, mi sembra strano. È stata lei a chiedere di me, e la casa editrice ci ha messo in contatto. Forse aveva sentito parlare dei miei libri, aveva visto qualche biografia. Ci sono tante coincidenze. La sua vita napoletana, le fotografie delle feste a Capri, gli stessi anni. Il pensiero che mi abbia chiamato perché conosceva Teresa mi dà ansia. Devo incontrarla tra qualche giorno e ho paura. Paura che possa parlarmi di lei, che tiri fuori una vecchia storia. E desiderio che lo faccia. Vorrei tu capissi, papà, quanto lo vorrei."

Sempre la stessa espressione seria, imponderabile. Gli lascio il mento. Il viso piomba giù di nuovo. Gli occhi, nascosti ora dalle sopracciglia folte, sembrano fissare le mani raccolte in grembo. Le mani lunghe, con le dita sottili, mi toccavano appena la guancia, come se la mia vicinanza potesse sconvolgere l'ordine rassicurante dei suoi pensieri, della nostra vita ordinata senza Teresa. Avesse avuto un figlio maschio, sarebbe stato più semplice. Avrebbero viaggiato, si sarebbero preparati insieme la sera, prima di uscire. Una sola volta, tra uomini, avrebbero commentato la fuga di lei, trattenendo l'emozione, per non parlarne mai più.

Le sue mani sono le stesse che mi tagliavano la carne e la buccia dell'arancia senza spezzarla. *Vuoi il serpente o il paniere?* La buccia diventava un lungo rotolo arancione simile a un aquilone, o un panierino in cui mettevo erba tritata e ghiande del giardino.

Gli apro le mani abbandonate e infilo le mie tra le sue, come le avesse prese lui.

"Vorrei tanto che tu mi capissi, ma non puoi. Non avresti capito neanche in altri tempi. Non hai mai saputo nulla di me, anzi, hai evitato di sapere, accuratamente. Mi hai consigliato sul mestiere, lo hai sempre chiamato così: un mestiere.

Ti sono piaciuti i bambini e Luca, sapermi con loro ti ha rassicurato, mi consegnavi in buone mani. Eri felice quando venivamo in vacanza da te. Non eravamo più soli a tavola, a Natale, ai compleanni. I tuoi album si sono riempiti di bambini. Li fotografavi in tutte le situazioni: sugli alberi, mentre coglievano le more, quando piangevano, ridevano non visti, ci abbracciavamo, li addormentavo. Le tue fotografie ora erano belle, spiavano la mia vita con i bambini. Non più due donne sole davanti ai muretti e agli alberi di aranci di una villa umida. Hai allestito anche un laboratorio di stampa, volevi tirare tu stesso il bianco e nero, vedere le immagini uscire dal bagno. Me le portavi ancora gocciolanti, come fossero tue creazioni, non solo le fotografie, ma anche gli atteggiamenti che eri riuscito a cogliere. È stata la tua parentesi artistica, ti ricordi. Erano molto belle quelle fotografie. Poi hai cominciato a fare gli ingrandimenti. Mani, occhi, volti dei bambini sempre più ravvicinati, sviluppavi una fotografia sull'altra. Fantasmi camminavano tra pezzi di altri corpi, guardati nel cielo dagli occhi di un bambino.

"Ne hai fatto una mostra per gli amici. Tutti hanno pensato, me l'hanno detto, chi poteva supporre una sensibilità così forte, così drammatica. Tu che passavi per un uomo di penna veloce, di sintesi acute, colto, bello, ma poco portato all'introspezione, alla psicologia. Quelle fotografie, i miei bambini, o forse tua figlia con loro, avevano tirato fuori questa vena da te insospettata. Le avevamo sistemate al piano di sopra della casa, ti ricordi, e io mi aggiravo tra quelle espressioni, tra quei gesti, la notte prima della mostra. Non mi chiedevo, come poi avrebbero fatto gli ospiti, da dove venisse quel talento, quel calore che mi stava intorno di vite desiderate, sognate da te, ma perché non l'avessi messo, quel sogno, nella nostra vita insieme, solitaria, a due. Di nuovo mi era venuta in mente Teresa. Teresa che forse era una donna squilibrata, come lascia intendere la nonna, ma che certo tu non hai mai capito. Teresa, papà, sai di chi sto parlando?"

Come possono essere immobili e fredde due mani vive. Mio padre ha sempre le mani e i piedi freddi, anche a me succede. Tolgo le mie dalle sue, gli tiro giù le maniche del pullover per scaldarle, come faceva la nonna.

"Hai freddo, papà? Ti ricordi che freddo faceva in villa? Guardami papà, tira su il viso. Perché non si accendeva il riscaldamento più ore? Possibile che non riuscivi a opporti alla tirchieria di nonna? O forse eri un po' tirchio anche tu. No, tu non lo eri neanche un po'. Hai sempre regalato tutto. Che bel regalo abbiamo comprato insieme a Régine quando si è sposata, ti ricordi, le tazze d'argento con gli uccellini dai becchi incrociati. Quella volta ho pensato che eri un uomo molto romantico, che nessuna donna l'aveva capito, neanche Teresa. Quando hai scritto la cifra sull'assegno, con leggerezza, noncuranza, mi sono sentita fiera di essere tua figlia. Però la tirchieria di nonna ci ha permesso di avere ora tutti i soldi che ti servono. Non hai bisogno di nessuno, neanche di me.

"Sono venuta da te, questa mattina, per farti vedere una cosa, una fotografia, tu te ne intendi. È una giovane donna, non so molto di lei, Antonia non me ne ha ancora parlato. Sembra essere un personaggio importante della sua vita, un'amica morta giovane. Forse la conosceva anche Teresa, forse tu l'hai vista insieme a lei, o forse è per te come per me una perfetta sconosciuta. Non so, ho pensato di portartela. Guarda, te l'appoggio tra le mani, così non devi alzare la testa. È bella, no? È nitida come un ritratto. Guarda che bel vestito si è messa. È così malinconica, il fotografo è nascosto dietro le sue spalle e la spia, vedi, come facevi tu quando fotografavi i bambini, è innamorato di lei. La ragazza si sta preparando per uscire, forse devono uscire insieme e lui ha deciso di scattare nel momento in cui lei si sta infilando un orecchino. Il rumore dello scatto l'ha fatta voltare e lei l'ha sorpreso, ha riso, e la risata ha cacciato via la malinconia. Da quando sono piccola rubo le fotografie delle donne belle con i vestiti degli anni cinquanta. Penso siano tutte Teresa. Anche questa donna ho pensato potesse essere lei, ma si chiama Malù ed è una donna importante della vita di Antonia, non della mia."

Mio padre stringe la fotografia tra due dita della mano destra, con fatica la solleva verso il tavolo, la lascia cadere sull'album aperto, poi la mano cala di nuovo lentamente in grembo. Guardo la fotografia di Malù davanti allo specchio, tra quelle dei miei bambini.

12.

Quando ho un incontro importante come quello di oggi, mi preparo qualche ora prima. La mente ha bisogno di un tempo di adattamento per passare dalla mia vita a quella dell'altro che mi aspetta e a cui dovrò dare il massimo di concentrazione. Prima dell'appuntamento cammino o mi siedo al tavolo di un bar. Aspetto che i pensieri abbandonino la strada conosciuta del mio corpo, delle paure, delle banali incombenze per mettere al centro un altro corpo, le banali incombenze di un altro. Il mio lavoro ha questo lato altruista, generoso. Ci si dimentica di sé per dedicarsi a un proprio simile. O per farsi gli affari suoi, un altro modo di vederla.

In questo caso però ho la strana sensazione che riflettere su di me mi conduca a lei, talvolta chiarisca dei lati della sua biografia. E viceversa l'entrata progressiva negli eventi della sua vita rimandi ai fatti più profondi della mia storia.

La vita di tutti i giorni invece mi distrae, intralcia la nostra conoscenza, vuole spegnere la luce che la illumina. Ma forse anche le ore passate con i bambini, con Luca, le visite a mio padre, mi riportano a lei e ai nostri incontri con un desiderio crescente di vederla, di sentire l'odore di gelsomino che ora so essere il suo profumo, di osservarla mentre fuma,

viso staccato da un corpo informe che ne ha ingoiati e ripro-
dotti altri.

Amo la sua mente, la voce. Mi manca quando non la sento per tanti giorni. Mi attraggono di lei anche i difetti, quelli
soprattutto, fisici e di carattere. La pelle del suo viso, ingrigi-
ta dalle sigarette, forse dalla malattia, che mette in risalto gli
occhi neri, rabbiosi o lontani. Gli anelli le stringono la carne
delle dita grasse. Le mani accompagnano le frasi e si agitano
come ali di un uccello che non vola più. Usa frasi pompose
talvolta, com'è nel gusto dei meridionali, alternate con bru-
sche retromarce sui sentimenti a cui ha appena dato sfogo.
Torna allora a essere la ragazza coraggiosa che sfida il padre
incontrato per caso o che decide di darsi a un uomo più giovane perché si annoia a vivere senza amore.

C'è poi l'Antonia di Davide, e quella delle fotografie nel
suo studio. La giovane donna non bella, scultrice ancora poco conosciuta che andava a mangiare le alici con Malù.

Ora, nell'attesa che si faccia l'ora per andare in clinica a
incontrarla, seduta sulla panchina di Villa Borghese che immagino sia quella in cui si fermava durante le passeggiate
mattutine, mi accorgo di essermi messa per l'occasione una
giacca rossa. Non è forse lo stesso rosso del cappotto che
Antonia s'infilava nelle mattine d'inverno, quando usciva a
passeggiare lasciando Giorgio addormentato, ma è pur sempre rosso.

Oggi è una giornata di primavera, piena di sole, ma io
sento solo gli odori dell'inverno, quelli che accompagnavano
la sua passeggiata. Il verde della panchina è smorto, il cielo
sporco, neri i tronchi degli alberi senza foglie. Questi momenti che so di lei, sono atteggiamenti, posture del suo corpo e dell'anima, di durata minima rispetto alla lunghezza degli anni, alle innumerevoli mattine in cui si è seduta su questa panchina, alle stagioni che formano la sua esistenza. Punti esemplari ricreati artificialmente dal ricordo. Dilatandoli,

finché l'immaginazione può ancora svelarne i misteri, si riescono a legare i punti e ricreare un arco di vita.

So che ci sono tanti archi possibili quante persone vorranno nel tempo narrare la sua storia, ma nessuno che vorrà scrivere di lei e della sua opera, potrà fare a meno di leggere o scorrere il mio libro, consultare i cataloghi, guardare le fotografie che ho scelto, quelle che ho tralasciato. Ogni scritto è la biforcazione di un albero comune.

Oggi mi pare di essere uno scienziato che ragiona sull'infinitesimo. Solo così torno a lei, la metto di nuovo al centro del mio libro, mi libero di me stessa. Mi pare di avere distorto negli ultimi tempi, con l'idea di un contatto fra Teresa e Antonia, quello che so di lei, quello che poi dovrò scrivere nel libro.

In quella mattina d'inverno, fissata per sempre nel ricordo perché al ritorno troverà Giorgio morto, Antonia incontra persone sole, le stesse di tutte le mattine. Una ragazza ritardata con il suo cane e la madre che li porta a passeggio, un uomo dai capelli bianchi che legge ad alta voce sempre lo stesso libro. Personaggi fuori dal mondo, ne ho incontrati anch'io venendo qua. Antonia non ha paura della follia, è un'artista, conosce la solitudine e può fronteggiarla, quelle passeggiate sono momenti in cui si stacca da sé, come sta succedendo a me ora, preparano l'avvicinamento al torso d'uomo cui sta lavorando.

Ma non è ancora sola, un uomo vivo e intero dorme nel suo letto, un cane vecchio che non si regge più sulle zampe l'aspetta. No, forse il cane è già morto e il rapporto con Giorgio si è deteriorato, ma a lei basta non essere lasciata sola, come poi invece accadrà. Il suo lavoro conta più di tutto, eppure quella mattina, seduta su questa panchina, proprio prima di scoprire che Giorgio è morto, si rende conto che è passato il tempo per avere un figlio.

Il pensiero sul figlio mancato la fa forse tornare indietro. Risente il senso di inferiorità fisica, di disgusto di sé che è nato sotto gli occhi distratti della madre, e l'ha fatta periodicamente soffrire. Solo con lo scalpello in mano, fendendo la materia a colpi potenti, "santa avvolta da una dorata pioggia di bronzo", come l'ha descritta Davide, Antonia si libera da quel peso.

Quella mattina d'inizio inverno è un crocevia tra passato e futuro. Nessuno ha coscienza di queste ore, identiche alle altre, allineate dal caso. Sono invece piene di indizi evocativi, premonitori di svolte della trama della nostra vita. Quella mattina Antonia è incapace di capirne i segni. Lo farà quando il fatto è accaduto, nel corso degli anni, nelle notti di solitudine o sola tra gli altri, nelle serate come quelle in cui ha incontrato Davide. Molti anni dopo, quando deciderà di iniziare il racconto della sua vita proprio da quel giorno – il risveglio, la passeggiata, la corsa indietro per fermare una morte già compiuta – ci avrà ragionato su molto, come sto facendo io ora. Riascolto la registrazione dei nostri colloqui, dilato gli attimi conosciuti in capitoli, storie, verità che subito suscitano interrogativi.

Quando cercavo di scrivere il romanzo, procedevo esattamente in questo modo: mi fissavo su un dettaglio infinitesimale, la prima linea di uno schizzo, ancora meno, un lembo di coperta caduta da un letto, fumo di cavolo in fondo a un corridoio, rumore intermittente di suole di scarpe in un cortile, odore d'asfalto bagnato misto ad aghi di pino. In quei luoghi sconosciuti eppure familiari, concreti come pezzi di vita reale, prendeva corpo un personaggio, con il suo sguardo, i gesti. Ce n'era certo uno uguale in qualche casa, in una strada. Condotto da quegli odori e rumori, mi aveva cercato per un misterioso motivo che si sarebbe svelato solo alla fine del romanzo.

Il mio libro, come quello di mio padre, si era fermato prima di questa rivelazione. E non è vero, come dice Antonia, che i libri incompiuti sono i migliori. Può dirlo solo un'artista furba che ha fatto il calco della mano di un morto piuttosto che rinunciare a scolpirla.

Ma per fortuna, direbbe mio padre, Antonia non è il personaggio di un romanzo. Tra poco la incontrerò. Rivederla, anche se nel letto di una clinica, mi fa battere il cuore come un appuntamento d'amore.

Quella mattina d'inverno, uscendo dal letto, Antonia sfiora col piede il corpo di Giorgio addormentato. È freddo, nello studio di notte si gela, ma quel freddo, dopo si stupirà di averci pensato distrattamente, non è una temperatura.

Beve il caffè fissando la ciotola vuota del cane. È morto da due mesi, ma nessuno dei due ha avuto il coraggio di gettarla, né di lavarla. Un corteo di formiche porta via invisibili strisce di cibo. Buck la puliva con impegno, non c'era mai bisogno di lavarla. Era sempre affamato, capace di rubare un prosciutto intero e la sera sbattere la ciotola vuota sul pavimento. Negli ultimi giorni, prima di morire, leccava appena il cibo, addentava qualche pezzetto sui bordi, senza avere il coraggio di attaccare il centro. Mangiare era diventata un'impresa faticosa come camminare, bisognava dedicargli tempo, energia, e dopo era pronto per un lungo sonno.

Antonia guarda il piatto che Giorgio ha lasciato sul tavolo la sera prima. A che ora è tornato? Non lo ha sentito quando si è infilato nel letto senza spogliarsi, senza coprirsi. Il sonno lo ha raggelato, lo ha colto di sorpresa. Nel piatto ci sono due pezzi di spezzatino e un mozzicone di sigaretta. Antonia l'ha cucinato qualche giorno prima. Giorgio non mangia più, fuma, beve acqua, dorme pesante. Altro pensiero che la mente non ha trattenuto, come il freddo del corpo di lui, ma così stringente dopo.

Dalla finestra Antonia vede una bambina della scuola che gioca sulla stradina davanti allo studio. La rivedrà poi al ritorno, nella sua corsa folle verso Giorgio. I capelli castani legati a coda di cavallo, il viso perfetto, le gambe sottili. Non riesce a capire qual è il gioco che l'impegna. La bambina salta guardando a terra, come giocasse a campana, ma di tanto in tanto incrocia le mani davanti alla bocca, forse per contare i punti, le partite, i successi o gli errori commessi. Cos'è quel movimento delle mani, qual è l'oggetto invisibile che le dita sembrano stringere all'altezza della bocca? Dopo, quando cercherà una verità tra quei pensieri, i gesti della bambina le sembreranno un conto alla rovescia, un avvertimento indecifrabile, nelle figurine di terracotta tenterà di fissarne l'ineluttabile leggerezza.

Antonia beve l'ultimo sorso di caffè caldo davanti alla finestra, dopo avere sfiorato il corpo gelato di Giorgio al piano di sopra. Le formiche della ciotola di Buck risalgono in corteo sul muro, verso il piatto con lo spezzatino. La bambina in giardino salta e conta.

Antonia pensa ai fratelli che non ha più rivisto. Si stupisce di averli amati tanto quand'erano bambini e di aver vissuto senza di loro tutto quel tempo. Sono diventati rozzi. Non amano la sua vita, il suo lavoro, lo considerano una minaccia alla reputazione, finché non guadagnerà molto più di loro. Allora si passeranno stupiti di mano in mano gli articoli di giornale che parlano della sorella matta. Le telefoneranno, dopo anni di silenzio, per complimentarsi. Antonia sentirà nelle loro voci, soprattutto in quelle di Enzo e Domenico, lo stupore, l'ammirazione tardiva, l'invidia. Solo Tonino, che balbetta ancora e non si è sposato, è commosso. Il modo in cui cerca le sillabe le ricorda la roccia nel mare d'Ischia, le nuotate.

Si può vivere dimenticando tutto, pensa, loro me, io loro, come non fossimo mai stati insieme veramente e il distacco non contasse. Così è stato per la madre, il desiderio della sua infanzia. Le va a fare visita ogni tanto, di nascosto dal padre, passano una giornata insieme a Napoli. La porta nei negozi a comprare i vestiti. La madre ha sempre avuto la passione degli abiti, delle scarpe, dei guanti. Antonia la osserva mentre parla di tessuti, di colori, senza le palpitazioni che accompagnavano la scelta del regalo da farle quando era bambina e usciva col padre, i due innamorati, i questuanti del suo amore. Ora la osserva, le piace viziarla, vederla sorridere per così poco, per un desiderio accontentato. Il sorriso che non arrivava mai la sera, a letto, quando veniva a salutarla, prima di entrare nella stanza dei fratelli e scatenarsi con loro come una ragazzina. La madre non le chiede mai niente del suo lavoro, considera normale che non si sia sposata. D'altronde lo diceva già allora, *Antonia, non ti sposare mai. Sei fortunata, non sei nata bella, ma sei intelligente, potrai fare quello che vuoi!*

Non aver avuto figli, pensa Antonia, non è poi così grave. Infila il cappotto rosso, prima di uscire scosta il telo che ricopre il torso di uomo cui sta trapanando un ombelico smisurato. Questo non può togliermelo nessuno, pensa, anche quando Giorgio se ne sarà andato. Non sa che avverrà tra poco e quella mattina d'inizio inverno esce felice.

13.

Quanto tempo è passato dal nostro ultimo incontro? Come ho potuto resistere senza vederla per settimane? Parlare di lei, ragionarci su, non è sufficiente. Il contatto fisico è un aspetto insostituibile del mio lavoro. Il corpo monumentale, la grassezza, le mani, lo sguardo, l'odore della pelle, la luce della sua casa devono fondersi nella parola che da sola abiterà nella filigrana della pagina. E la parola trasformerà a sua volta la carta che la ospita. La pagina dovrà esalare l'odore della polvere accumulata nella stanza dei souvenir; piegarsi alla lettura come una scultura di carta, diventare poltrona, vaso, ciotola, tappeto arrotolato. Ma se non c'è il contatto fisico niente di tutto questo è possibile.

Le cliniche annullano gli odori della gente. Dopo qualche giorno tutto puzza d'alcol e disinfettante, malati, parenti, vestiti, cibo. In ogni stanza, il profumo dei fiori lotta per i primi giorni contro l'odore dell'alcol ma alla fine soccombe. Sbircio dalle fessure delle porte. Un paio di pantofole si spostano ai piedi di un letto. Chi assiste si mette le pantofole, mi chiedo perché. Un uomo anziano esce nel corridoio in vestaglia sorretto da una donna non più giovane, penso la figlia. Un mondo di anziani accuditi da anziani. In questo mondo, alla mia età, ci si sente ancora ragazzi.

Percorro il corridoio cercando il numero della stanza, mi

rendo conto di non averla mai considerata come una vecchia. Nemmeno il primo giorno, quando ha iniziato il racconto della sua vita dall'esistenza limitata che conduce oggi. L'ascoltavo come se una malattia non connessa all'età le impedisse di scolpire, di uscire come aveva sempre fatto. Una malattia che può capitare anche ai giovani. Prima di bussare alla porta semichiusa della sua stanza, penso che la vecchiaia non sia decadimento del corpo, impedimento fisico, memoria sfuggente, ma l'atteggiamento di chi attende la morte. Lei alla morte continua a ribellarsi. Sguscia tra le mani del pescatore, anche tra le mie, non riesce a raccontarmi la sua fine o l'inizio, che si equivalgono, come lei stessa ha detto il primo giorno.

"Avanti."

Socchiudo la porta; la voce sottile, senza più tracce di raucedine, m'intimorisce, ho paura di guardarla. Nel letto, bianco come le pareti, c'è una testa appoggiata sui cuscini, sembra rimpicciolita, asciugata. Il turbante di una misura ora eccessiva pende da un lato. Gli occhi slavati, senza trucco, la bocca pallida, sono le uniche propaggini di un volto conosciuto.

Mi tende la mano, la manica della camicia scivola indietro sul braccio grasso, ora punteggiato da macchie viola.

"Sono contenta che sia venuta. Non s'impressioni, la chemio è così, ma io mi riprendo in fretta."

Le stringo la mano. È la prima volta che ci tocchiamo, il palmo è liscio, la mano sembra più piccola.

"Mi dispiace, la sedia è dura come il letto, sono piena di dolori."

Non riesco ancora a parlare, mi sforzo di dire qualcosa.

"Sono contenta anch'io di essere qui," le dico sedendomi accanto al letto.

Sposta lo sguardo sulla finestra, un punto dell'esterno che le è familiare, su cui gli occhi si posano per ore ogni giorno. La mano riprende il lenzuolo, con le dita ne stende il bordo, piano, un gesto minimo, incessante. Sul comodino, nel vaso, un ramo di gelsomini ricorda la casa, i nostri incontri.

"È finto, qui non ne sopportavo l'odore."

Senza guardarmi, sente il mio sguardo, i miei pensieri, come a casa.

"È un'iniziativa di Davide, infantile com'è lui. Però adesso l'apprezzo, ci sono giorni in cui mi pare che il ramo profumi, un profumo non invadente, non si mischia agli odori dei medicinali, mi porta fuori di qui."

"Sembra vero."

"Sì, come tutto il resto, il vaso, questo letto, la malattia, lei e io."

La guardo stupita. Non è da lei fare commenti di questo tipo. Forse il vuoto del tempo, interrotto dai vassoi del pranzo e delle medicine, la finestra dove muta solo il colore del cielo le danno un senso d'irrealtà, di sogno a occhi aperti.

"Allora, cosa ha fatto in questi giorni?" mi chiede, facendo uno sforzo per essere presente.

"Ho parlato con Davide, mi ha raccontato il vostro incontro, non sapevo che fosse un attore."

Ride e cerca il fazzoletto sul comodino per asciugarsi la bocca. Glielo porgo.

"Davide è un attore nato. È teatrale in tutto quello che fa. Sulla scena non valeva niente, l'ho visto recitare una o due volte."

Senza dubbio è lei, irriducibile.

"Le è stato utile?" mi chiede fissandomi con una curiosità severa. La malattia le ha tolto l'ironia dallo sguardo.

"Sì, mi ha raccontato del suo lavoro, in fondo ne abbiamo parlato poco insieme."

Riporta gli occhi sull'esterno, lontani, malinconici.

"Cosa c'è da dire sul lavoro, basta ciò che si realizza. Davide inventa, si suggestiona come tutti gli attori."

Accanto al vaso con i gelsomini finti, vedo la fotografia di Davide con la bambina Teresa in braccio.

"Mi ha raccontato della sua bambina."

Indica con la mano la fotografia.

"Teresa verrà a trovarmi la prossima settimana, abita a Padova con la madre. È bella e simpatica, è stata cresciuta da due pazzi ma è saggia come una donna. Le ho lasciato tutto in eredità, ma dovrà provvedere al padre."

"Anche mia madre si chiamava Teresa," sussurro dopo un attimo di silenzio.

Non dice niente, fissa la finestra.

"Ha sofferto molto di essere stata abbandonata?" mi chiede senza guardarmi.

"Penso di sì, un bambino immagina di essere al centro del mondo della madre, per anni mi sono chiesta perché a me non fosse successo. Ancora oggi me lo chiedo qualche volta, soprattutto da quando sono nati i miei figli. Durante l'infanzia pensavo ci fosse qualcosa che non andava nel mio aspetto fisico, nel mio carattere."

Volta piano la testa nella mia direzione, mi fissa con tristezza. Per la prima volta nella vita mi sembra che qualcuno guardi il dolore che condivido solo con mio padre. Mi stupisco che sia proprio lei, l'artista che ha fatto il calco della mano di un morto.

"C'è un luogo in cui le nostre storie s'incontrano, Chiara. Ma lei non vuole entrarci, ha paura."

Dovrei andarmene, non ascoltare quello che mi dirà ora. Gli anni in villa sono passati, mi sono sposata, ho due bambini, un mestiere.

"Cosa vuol dire?" chiedo senza voce.

"Lei vuole sapere se ho conosciuto sua madre."

D'un tratto mi pare di camminare in un lungo corridoio, di avvicinarmi a una stanza chiusa da tempo.

"Se vuole entrarci, deve rinunciare all'infanzia."

Non può continuare così, non ha senso. Il suo intuito è

superiore al mio, mi legge dentro come un libro già scritto. Lo ha preso dalla libreria, lo ha aperto alla pagina giusta, quella in cui si parla di me e di lei, insieme. Io non l'ho ancora scritto, ma lei lo conosce. Mi pare che Antonia, ciò che resta di lei in questo letto, venga da un altro mondo, più semplice del nostro, ma per me ancora indecifrabile.

"Le sere in cui ascoltavo mia madre giocare nella stanza dei fratelli e mia nonna mi raccontava le misteriose ragioni della predilezione delle madri per i figli maschi, lei non mi conosceva, non era ancora nata, ma la mia vita si era già intrecciata alla sua. Non pensi che sia pazza né sotto l'effetto di medicinali. Sono molto lucida, lo sono tutti gli artisti. Sono esseri concreti. Lei vuole sapere da me qual è il legame tra la mia amica Malù e sua madre, tra me e lei. Sono giorni che ci pensa, da quando le nostre conversazioni le hanno suscitato pensieri su di sé, ricordi. Si tormenta e non ne viene a capo."

"Non sono qui per scrivere di me," dico nel tentativo di salvarmi.

"Non mi ha neanche chiesto come faccio a saperlo."

Abbasso lo sguardo sulle mani, se non avessi vergogna mi toccherei il viso per verificare che sono qui con lei, che questo è il mio lavoro, che tutto è sotto controllo. Invece ripeto pietosamente:

"Non scrivo di me. Ho scelto questo mestiere perché non piace neanche a me rivangare nel passato, in questo ci somigliamo".

La sua mano si avvicina alle mie. Sento un prurito diffuso tra le dita, scottano come le guance.

"Mi dia la mano, non si agiti. So quello che ha nel cuore da giorni per un motivo molto semplice. I suoi silenzi, durante i nostri incontri, sono stati significativi. La storia di un altro va a finire fatalmente nella propria, Chiara. Non dia ragione a suo padre. Il mestiere è merda. Sì, ha sentito bene, mi dia la mano! Non abbia paura di toccarmi come suo padre aveva paura di toccare lei!"

Mi pare di districare le mani l'una dall'altra. Il palmo della sua è liscio e fresco.

"Se parliamo di madri, assumiamone almeno l'atteggiamento," mi dice ridendo, guardandomi negli occhi, stringendo la mano che ha conquistato.

"Non so molto di maternità reale, ma credo di conoscerne ugualmente tutte le sfumature. La gestazione, il sogno sull'essere misterioso che non esiste ancora. Non si vede, ma noi lo sentiamo muoversi dentro di noi. Piccoli colpi di tanto in tanto interrompono le giornate che non sono più uguali a quelle degli altri. Meglio non parlarne, ci prenderebbero per esaltate. Nessuno capirebbe che un essere vivo sta per uscire dalla nostra carne. Un miracolo, una stregoneria, fatti anacronistici rispetto ai tempi. Meglio allevare la creatura nel silenzio delle notti insonni, modellargli gli occhi, la bocca, il naso, il sesso. Pensiamo a lui di nascosto, come fosse una minaccia per quelli già in vita, che non amano leggere nel nostro sguardo la distrazione, l'assenza di volontà. Chiudiamo gli occhi e le mani si muovono intorno al suo corpo. Non l'abbiamo fatto da sole. L'atto d'amore è in ogni particella di pelle dell'essere nuovo, nel nostro sogno concreto su di lui. Così quando viene fuori, e gli altri dicono: com'è bello, il lavoro è fatto. Qualche volta, sopraffatte dal periodo in cui abbiamo vissuto sole con lui, lo abbandoniamo appena nato a qualcuno che ne avrà cura, a un'altra madre, una nonna, una ragazza francese."

Mi lascia la mano improvvisamente sul lenzuolo.

"Ha intenzione di scrivere il libro alla prima o alla terza persona?"

Sarà lei a condurre l'incontro, ha le idee chiare, sa dove andare, mentre io sono annientata. Non la riconosco in questo letto, trasformata dalla malattia.

"C'è un luogo in cui le nostre storie s'incontrano." Cosa

vuol dire? Ho paura di andare oltre, non ho intenzione di mettermi nelle sue mani. Non le darò più la mano. Non è un atteggiamento giusto per due persone che si conoscono appena. Io so di lei, è il mio mestiere, ma lei non sa niente di me. Vaghe intuizioni, interpretazioni di silenzi. Non sa niente, e non è di me che devo scrivere.

"Non ha ancora deciso?"

"Le biografie tradizionali sono scritte alla terza persona," le dico con una voce che ora è calma. "Però oggi spesso si lascia la forma dell'intervista, le domande alla terza, le risposte alla prima persona. Anche se uso il registratore, a me non piace fingere che si tratti solo di un'intervista, trovo che il testo risulti noioso. Il lettore spulcia le domande, salta quelle che non lo interessano. No, io penso che una biografia si debba leggere senza interruzioni, come un romanzo. Il registratore mi serve per conoscere la voce del protagonista, il modo in cui parla di sé. Poi, quando inizio a scrivere, cerco di assimilare la sua voce alla mia. Sì, un'operazione da ventriloquo. Più le due voci si mischiano, più il biografo è bravo. Mi dispiace per prima."

"Per cosa?"

Di nuovo i suoi occhi sono lontani, perduti nel vetro della finestra, nel quadro immutabile dell'esterno. Questo è il mio momento, posso batterla, ora che ha perduto le forze. Devo riprendere il controllo della situazione. È malata, morirà presto, ma prima deve raccontarmi la fine.

"Qualche volta è difficile mantenere il distacco dalla persona di cui si deve scrivere. La sua vita ci appare contaminata con la nostra. S'incontrano gli stessi nomi messi a persone diverse, fatti che si rassomigliano, che rinviano a noi con così chiara evidenza, che è difficile non fare confronti, non cercare interpretazioni, non trovare facili soluzioni agli enigmi della propria vita usando quella dell'altro. È un errore grossolano, da inesperti, lo fa chi è ancora giovane nel mestiere."

Mi fermo e la guardo. Non dice niente. Le sue erano bugie grossolane, un tentativo puerile di capovolgere le parti. Che ingenuità pensare che le nostre vite fossero due rette che s'intersecano in un punto. Una frase senza senso, buttata lì per confondermi, facendomi pensare a chissà quale mistero.

"Un bravo biografo deve fare vivere il proprio personaggio, nient'altro. Per questo le chiedo scusa per avere parlato di mia madre."

Tacciamo, un silenzio dopo la battaglia, una pagina voltata. Senza guardarmi, Antonia inizia di nuovo a parlare.

"Quando è entrata nella stanza, con la sua aria fresca, giovanile, la giacca rossa, piena di vita, ho avuto per la prima volta paura di morire. L'ho odiata, e ho detestato me stessa per averla chiamata qui. Durante i nostri incontri, ho spesso provato lo stesso odio. Si faceva forte dei bambini, della felicità coniugale, del suo *mestiere*. In quei casi sapevo come batterla. Lei ha un'evidente frustrazione artistica. Suo padre l'ha educata a sottovalutarsi, sua madre l'ha abbandonata. L'arte è il suo tabù, mentre è il pane della mia vita. Altre volte, non tante a dire la verità, lei è una donna dura, ho sentito una compenetrazione tra noi. Quando mi offriva la sua fragilità, non si nascondeva dietro il registratore, dietro la mia storia. È strano, in genere si dice che i libri rendono immortali, ma la sua presenza qui mi fa sentire la tomba, il punto finale. Non ho voglia di offrirle la storia di Malù gratuitamente. Per lei non può essere così facile averla. Non l'ho mai raccontata, né a Giorgio né a Davide, a nessuno. Cosa mi offre in cambio?"

Esito, lei sa già cosa vuole, anch'io, ma non posso prometterglielo.

"Ammettiamo che io le dica che non la scriverò. Lei sa meglio di me che c'è sempre il modo di ricalcare l'esistenza di un altro senza che nessuno se ne accorga. Nessuno ha mai capito che la sua serie di mani s'ispirava a un modello molto concreto, e lei non si è neanche fatta scrupolo di vendere il calco."

Si volta, mi fissa impaurita.

"Scriverà anche questo?"

"Pensavo di no, ma ora mi sembra difficile trovare un fatto di uguale forza, con la stessa potenza evocativa. In ogni caso, lei può capire più di chiunque altro perché sarebbe insensato che io le prometta di non scriverlo. Non ho nulla da insegnarle in questa materia, l'arte è il suo pane quotidiano, ne conosce i trucchi."

Mi guarda spaventata.

"Non c'è nulla di più terribile della frustrazione artistica. L'ho conosciuta bene con Giorgio."

Ci fissiamo in silenzio, mi chiedo chi delle due abbasserà lo sguardo per prima. Ora il suo si sposta lentamente verso un acquarello sulla parete di fronte al letto. Parla di nuovo lei, con una voce vinta.

"Sono io che l'ho chiamata, che mi sono messa in questa situazione. Sulla scheda che l'editore mi ha mandato, c'era scritto che era sposata, due figli, una madre napoletana, un padre giornalista del Nord, l'elenco dei suoi libri precedenti. L'idea di affidare la mia storia a una donna dalla vita normale, senza velleità artistiche, mi sembrava la cosa migliore. Ci sono cascata, meglio gli ambiziosi dei finti umili."

Si interrompe, un tempo che dilata l'offesa. Mi chiedo cosa ci abbia portato a questo punto. Ripenso al desiderio di incontrarla, alla chiarezza di certe intuizioni su di lei. All'attrazione che ho sentito fin dal primo giorno. E ora questa lotta, quando dovremo lavorare alla stessa opera, e provare piacere a farlo insieme. Un piacere potente che può fare dimenticare questa clinica, i vassoi, le flebo.

"Ora sono nelle sue mani, le ho raccontato troppe cose di me, potrebbe imbastirci sopra il suo primo romanzo, mischierebbe un po' le carte, cambierebbe i nomi e mi ritroverei infilata nella storia di un altro. È meglio costringerla a chiamarmi col mio nome. Mi devo fidare, sperare che almeno sia brava."

Fissa il quadro alla parete, un paesaggio di mare insulso, da clinica.

"Quel quadro mi fa pensare alla spiaggia di Positano. Non c'entra niente, forse è un mare del Nord, come quello della sua infanzia, ma da qui mi ricorda la costiera."

Mi alzo e mi avvicino al quadro.

"Potrebbe anche essere l'Adriatico."

Mi guarda ironica. Mi risiedo di fronte a lei e accendo il registratore senza nasconderlo, lo sistemo sul lenzuolo. Lei non ha la forza di opporsi.

"La sua precisione è una malattia. Mi piace guardarlo prima di addormentarmi. Quando Malù si è ammalata, l'ho riportata nell'albergo di Positano in cui ci siamo conosciute. Nessuna medicina può curarla, come succede ora a me, e lei si vergogna di farsi vedere. Era così bella, adesso è difficile alzare gli occhi sul suo viso. Ho telefonato alla proprietaria dell'albergo. È chiuso, è inverno, ma lei ha capito. Ci ha aperto una stanza. Una ragazza viene a pulirla tutti i giorni e ci porta da mangiare."

"Malù non ha mai lavorato. Da quando l'ho conosciuta, durante una vacanza in questo stesso albergo, non l'ho mai sentita dire: 'Avrei voluto fare questo, essere così, perché a me non è successa una cosa simile?'.

"Così è stato anche per il lavoro, non l'ha mai cercato, facilmente riesce a farsi mantenere da un uomo, è la prima a essere invitata ovunque, tutti pensano sia una fortuna farsi accompagnare da lei in viaggio. È difficile dire perché, com'è quasi impossibile descriverla. Lei ha visto le sue fotografie. Di profilo, assorta, sembra una donna, poi si volta, scosta i capelli scuri, ride e diventa un'altra. Ha un naso pronunciato, la pelle molto bianca, gli occhi verdi che in certi giorni sembrano trasparenti, in altri più scuri, torbidi.

"Sono in vacanza a Positano con un gruppo di amici. Mi sono già sposata con un compagno di corso, mio padre è riuscito a far annullare il matrimonio. Non ho rotto definitivamente con la mia famiglia. Loro sono in vacanza ad Amalfi. Una volta la settimana li vado a trovare e faccio la brava ragazza, poi torno qui e cambio spesso fidanzato, non mi sono ancora innamorata ed è difficile trovare un compagno che non sia noioso nel fare l'amore. Mi vanto del mio cinismo, sono provinciale in questo, mi piace andare in motoscafo e a cena a mangiare pesce e a bere. Non sono male, ma ingrasso facilmente. Non ho soldi, così cerco degli accompagnatori che ne abbiano anche per me. Malù fa la mia stessa vita, anche se ancora non ci conosciamo.

"La sera in cui c'incontriamo nella hall dell'albergo siamo sedute al bar, aspettiamo ognuna un uomo che ci fa aspettare. Lei ha una camicia di seta rosa forte, dei pantaloni rossi, un accostamento azzardato. Mi accorgo di lei che fuma in un angolo e attira gli sguardi. Beve distrattamente, sorride a un pensiero. Non sembra seccata di dover aspettare, mentre io bestemmio contro l'uomo che non arriva.

"'Saranno usciti insieme,' mi dice sorridendo mentre aspettiamo. Ha già dovuto impedire a diversi uomini di sedersi.

"'Vado a letto, i miei amici sono già usciti, non voglio aspettarlo un secondo di più,' le dico piena di rabbia.

"Mi offre una sigaretta, si siede al mio tavolo con la naturalezza di una bambina che ha fatto amicizia.

"'Si può aspettare molto di più. È bello aspettare qualcuno che si ama. Non credo alle bugie che ci hanno insegnato. Una donna può aspettare un uomo. Solo che in questo caso non ne vale la pena.'

"Andiamo a mangiare insieme nel ristorante dell'albergo. Non ci avevo mai messo piede. Il piatto del giorno è cotoletta alla milanese, a Positano. Beviamo e chiacchieriamo, ridiamo molto. Cosa ci fa tanto ridere? I nostri comportamenti, quelli degli uomini che ci accompagnano. La differenza tra noi è questa: io li corteggio scientificamente; lei è corteggiata, s'innamora, si dà e soffre. Mentre parla, si rovescia dell'olio sulla camicetta, il cameriere porta il talco e fa gli scongiuri perché rovesciare l'olio porta male. Insieme alla parabola opposta degli amori, sarà anche questa una costante della nostra amicizia. Malù è impulsiva, spesso versa senza volerlo acqua, caffè sui vestiti, l'ho vista rovesciare una caraffa di vino sulla testa di un uomo che la trascurava.

"Alla fine dell'estate decide di venire a Roma. Non ne può più di Napoli, degli uomini napoletani che vogliono le donne e poi non le rispettano, non sopporta il risentimento della madre per la sua bellezza. Malù è figlia unica di un argentino e di una napoletana. Il padre è sparito prima della sua nascita, le ha lasciate a Napoli senza soldi. Malù non ha mai capito come potessi non desiderare di vedere mio padre appena possibile, perché ci discutessi, come riuscissi a farlo invecchiare lontano da me.

"'Se avessi conosciuto mio padre, non me lo sarei fatto scappare. Mia madre non avrebbe potuto trattenermi in Italia.'

"Malù progetta viaggi in Argentina, è sicura di incontrare un argentino che la porterà a vivere lì. Quando vado a Napoli per qualche giorno, compra regali per mio padre e me li infila di nascosto nella valigia. La facilità a innamorarsi le viene da lì, dalle fantasie sul padre argentino. Malù non s'innamora, pensa spesso di avere davanti l'uomo del suo destino. Su quella prima intuizione costruisce il suo amore. Me lo descrive passo dopo passo, la sera, prima di addormentarsi, o quando viene a prendermi per andare a cena da Luigi. Mette l'energia del corpo, l'intelligenza, la spiritualità in queste storie. Perché non le scrivi, le chiedo qualche volta. Ride, mi prende in giro. L'amore dentro le pagine di un libro, come metterlo in una cassa da morto. Le sue fantasie si devono realizzare adesso che è giovane e bella. Vuole bere la coppa della sua vita senza versarne una goccia.

"Decido di farla posare per gli studenti dell'accademia, i soldi della mia borsa di studio non ci bastano. Luigi, il padrone del ristorante di via Margutta, si è innamorato come tutti di lei e ci fa credito, ma non riusciamo a pagare l'affitto della mia stanza.

"Malù è seduta nuda davanti a una ventina di studenti. Le gambe accavallate, i capelli sciolti le ricadono da un lato, gli occhi bassi come le ha chiesto il maestro. È la prima seduta e l'ho accompagnata. Mi sono diplomata da vari anni, ricordo la goliardia degli studenti. Quel pomeriggio nessuno fiata e nessuno per qualche minuto riesce a disegnare. Non credo sia più bella di altre modelle, è l'atteggiamento di fronte alla nudità che disorienta gli studenti e gli uomini che cercano di averla e dopo la lasciano. È consapevole degli sguardi, non li evita, chi la guarda è costretto ad abbassare gli occhi per primo.

"'Ti sei imbarazzata?' le chiedo la sera.

"Ride con la bocca aperta, un gorgoglio alla fine di ogni risata.

"'Faceva caldo, si stava bene. Tutti quegli occhi su di me, se il mio corpo può servire a questo, mi fa piacere. È un bel lavoro.'

"In seguito la convinco a iscriversi a un corso di danza, a uno di recitazione, la leggerezza con cui si muove mi sembra sprecata. Così come la fantasia con cui si veste, un altro talento gettato. Non capisco niente di lei per i primi anni della nostra amicizia. Non mi dice mai di no, s'iscrive ai corsi, li frequenta, ma non aggiungono nulla a quello che sa.

"Un giorno le chiedo: 'Cosa vuoi nella vita Malù?'.

"Non ci pensa molto, forse non è sicura di riuscire a spiegarsi.

"'Un uomo che mi ami come lo amo io.'

"Siamo davanti alla finestra della mia stanza, ho smesso di lavorare, l'ho raggiunta. Si è tagliata le unghie dei piedi, legge un libro davanti agli ultimi raggi di sole.

"'Questo ti basta?'

"'Per forza, questo è tutto. Con lui vorrei girare il mondo, lavorare, mangiare, bere, comprare una casa. Fare tutto quello che ci riesce.'

"'E non vuoi niente per te sola?'

"'Da sola è bello stare al sole, pensare, leggere o lavorare quando si ha del talento come lo hai tu, ma la vita è amare e essere riamate.'

"Senza esitazioni va dritta al punto, la sua vita per un uomo che la ama come è capace di amare lei. Semplice e difficile.

"'Ci si stanca l'uno dell'altra dopo un po' che si sta insieme. L'amore finisce, s'invecchia. Non hai paura di restare senza niente?'

"Il sole è passato dall'altra parte della facciata, non entra nella stanza, non ci scalda più.

"'Tutti dicono questo, mia madre per prima. Ma tu mi hai chiesto cosa volevo nella vita, non di cosa avevo paura. Il desiderio è l'amore, il rischio è perderlo.'

"Durante gli anni della nostra amicizia spero che lo incontri.

"Malù investe anche me del suo sogno. Prima di ogni uscita ci vestiamo insieme, mi trucca. Dipinge con un pennellino sottile sulle palpebre abbassate e descrive il mio compagno ideale. I suoi desideri sono un uomo, un viaggio in Argentina, una casa con lui, serate di felicità. E i miei? Malù mi trucca con lo stesso impegno con cui io scolpisco.

"Il piacere forte della realtà, quello che condividevo con i miei fratelli nella casa d'Ischia, nelle serate di racconti, promettenti come le voci che salivano dalla strada, è svanito. Ora che ho incontrato Malù, lo so. Lei punta tutto sul piacere della vita, io non più. Questa la differenza tra noi. Ogni giorno, alla stessa ora, si mette davanti alla finestra e aspetta il giro del sole dalla nostra facciata a quella accanto. Non arriva mai tardi all'appuntamento, meglio aspettare che mancarlo. L'attesa è anche un bel momento. Come la sera in cui ci siamo incontrate. Allo stesso modo si stende in spiaggia per ore, si addormenta, mentre io mi guardo intorno alla ricerca di qualcosa che spezzi la noia che mi prende ogni volta che non scolpisco. Quando ho lavorato bene durante il giorno, nei brandelli di tempo tra un'attività e l'altra, la vita torna a piacermi. L'impegno con cui Malù traccia una riga perfetta sulla mia palpebra abbassata mi fa sentire improvvisamente quello che ho perso.

"'Antonia, devi trovare qualcuno che ha la tua stessa forza, una persona che ti faccia sentire bella, con lui non ti vergognerai di sprecare il tempo, non avrai solo voglia di scolpire.'

"Serate di delusioni, notti a parlare per consolarla di qualcuno che l'ha lasciata. Mi stupisco della capacità che ha di soffrire e di riprendersi, di innamorarsi di nuovo. Mi sembra una malattia da cui la devo curare. Le dico che gli uomini la lasciano per questo, perché non si difende, non dà loro l'idea di pensare ad altro. Come per i corsi di danza finge di seguirmi, mi dà ragione, mi promette di cambiare.

"Si alternano periodi insieme senza amore, in cui lavoro, andiamo in vacanza, viaggiamo e altri in cui non si parla d'altro e la nostra vita sembra dedicata all'uomo che se ne è andato o a quello appena incontrato. Le mie relazioni si susseguono senza lasciare traccia; ogni incontro finito male le segna il viso di un'infinitesimale ruga intorno alle labbra, sulla tempia, nell'angolo dell'occhio.

"Da Luigi, durante un pranzo a base di alici e fritti, incontriamo l'uomo della nostra rottura.

"Lo troviamo tutt'e due attraente, in genere abbiamo gusti opposti. Lei li sceglie di una decina d'anni di più, è attirata dalla sicurezza dei gesti; parole d'amore, anche banali, possono farla cedere subito. A me piacciono giovani, bruschi, indifferenti. Li corteggio – lei lo esige da loro – e poi mi faccio rincorrere. Discutiamo molto della giustezza della sua posizione, della mia. Dedichiamo molto tempo alle discussioni sull'amore in quegli anni.

"L'uomo appena entrato è interessante. Si siede da solo, è la prima volta che viene nel nostro ristorante. Legge un libro e arrotola spaghetti. Per giorni farà sempre la stessa cosa: entra senza guardare nessuno, ordina un piatto di pasta e legge. Cerchiamo di sapere qualcosa da Luigi.

"'È un musicista, studia al conservatorio di via dei Greci.'

"Avrà venticinque anni, è magro, piccolo, ha occhi molto penetranti. Con Malù siamo d'accordo che negli esseri umani gli occhi sono il settanta per cento. Quelli scuri del musicista non si posano su nessuno, solo sul piatto di spaghetti, sulle righe del libro estratto dalla tasca della giacca, sul portafogli per pagare. Malù lo osserva, ha già dimenticato l'impegno a non innamorarsi che ha preso con me dopo l'ultima delusione. La capisco, la presenza di quell'uomo m'innervosisce. Volta le pagine con le mani lunghe, forse è un pianista.

"'Studia composizione,' è tornato a dirci Luigi.

"Lo immaginiamo sul podio, la bacchetta tenuta con la punta delle dita, lo sguardo attento sugli strumenti com'è ora sulle pagine del libro.

"Perché non ci nota? Malù cambia abito, colori, i capelli scuri legati, sciolti; un giorno si trucca poco, un altro molto, mette tacchi alti o ballerine. Che tipo di donna gli piacerà? Io parlo a voce alta, compongo le mie poesie culinarie in modo che arrivino anche a lui. Il musicista legge, alza gli occhi davanti a sé, non guarda nessuno.

"'Viene da Buenos Aires,' ci comunica Luigi.

"Malù non può trattenersi, contro ogni suo principio si avvicina al tavolo.

"'È argentino? Anch'io da parte di padre. Mi scusi se la disturbo, ma incontrare dei connazionali fa piacere.'

"Da lontano la guardo stordita, come fa lui. Si alza incerto, le stringe la mano, un sorriso appena accennato, la fa sedere al tavolo.

"'Mi chiamo Carlo. Mia madre è argentina, mio padre italiano. Sono a Roma per un corso di specializzazione.'

"'Ha il padre italiano, la madre argentina, ti rendi conto Antonia,' mi racconterà, lo sguardo lucido di speranza. E, nei mesi seguenti, quando escono già insieme:

"'Parla poco, mi ascolta, è molto gentile. È l'uomo della mia vita, questa volta è sicuro, non posso sbagliarmi! Se non è lui, non ce n'è un altro. Non solo perché è argentino, anche se ti confesso che per me è importante. Mi piace fissarlo negli occhi, è serio e intelligente. Pensa solo alla sua musica, è come te Antonia. Sì, ti somiglia, forse per questo mi sono innamorata. Quando mi guarda penso che sei tu uomo. Lo aspetto fuori del conservatorio, lo aspetterei ore. Mi farà assistere alle prove di un concerto che sta preparando. A un musicista serve lo sguardo di una donna, la sua, in mezzo al pubblico. Ha una fidanzata in Argentina, ma la lascerà. Tra un anno torna in Argentina, e io vado con lui'.

"Davanti alla finestra, gli ultimi raggi di sole le fanno brillare i capelli, non posso dimenticarla."

Allunga la mano verso il bicchiere d'acqua, glielo tendo. Ma non ce la fa a bere sdraiata. L'aiuto a tirarsi su. Il corpo grasso sembra svuotato. Cos'è rimasto della donna monumentale che pareva racchiuderne molte altre? Le appoggio le spalle sulla pila di cuscini.

"Grazie. Mi fermo un attimo, sono stanca."

Spengo il registratore. Fisso la mano abbandonata sul lenzuolo; sulle unghie ci sono tracce di smalto rosso. Ora vorrei prendere quella mano grassa, indifesa, ho paura che muoia, che questo ultimo racconto la consumi, che se ne vada insieme a Malù, a mia madre. Non voglio restare sola con le loro storie, i libri si riempiono di polvere come le tombe, ha ragione Malù. Le pagine non si trasformano in niente, spengono il calore, gli odori dei corpi, come le cliniche. Non voglio tornare a casa dai miei figli, da Luca. Chi sono per me, estranei. Antonia e Malù, conosco solo loro; Carlo l'argentino, il musicista, la trattoria di via Margutta, il destino della donna innamorata dell'amore.

"Non si commuova, non bisogna essere sentimentali, non quando si racconta la vita di un altro. Non scriva di lei in modo sentimentale, se lo farà tornerò a rimproverarglielo anche da morta. Non lo era. È difficile spiegarlo, ma lei dovrà riuscirci. Era una donna passionale, concepiva l'esistenza come una tortuosa ricerca dell'amore. Non c'è nulla di sentimentale in questo."

"Ho rubato una sua fotografia allo studio."

Mi guarda incuriosita.

"Rubata? Quella davanti allo specchio?"

Annuisco. Ormai possiamo evitare di formulare le domande, io sono nella sua testa, lei nella mia.

"Gliel'ho fatta io, in viaggio, prima di una serata. Anni prima dell'incontro con Carlo l'argentino. Quando ancora non mi pesava la sua compagnia, ed eravamo amiche, non avevo cominciato ad avere segreti, a non dirle quello che pensavo."

"Posso farle una domanda?"

Ride senza voce, ma è sempre la sua risata sarcastica.

"Me lo chiede come se fosse la prima. Me ne ha fatte sempre di domande, quando ha voluto, da quando sono cominciati i nostri incontri. Domande silenziose a cui io ho sempre diligentemente risposto. Lei è una donna autoritaria, difficile opporsi ai suoi disegni, ha una bella volontà. Mi faccia questa domanda, se vuole."

"Forse è una domanda retorica. Lei crede nell'amicizia? Mi sembra un sentimento così difficile da capire. Mio padre mi consigliava di non crederci."

"Agli uomini l'amicizia femminile non piace, preferiscono donne rivali che si combattono per il loro amore. Molte donne non coltivano l'amicizia, anche se lo fanno più degli uomini. L'amicizia si sente solo a distanza, di fatto quando si è già rotta l'intesa. Non è invadente come l'amore, non appare indispensabile per vivere. È uno stato d'animo legato alla nostalgia, al passare del tempo. Gli amici sono testimoni di noi. Li piangiamo quando non ci sono più, li abbracciamo dopo una lunga separazione, li vogliamo di nuovo accanto quando li abbiamo persi. L'amicizia va intrattenuta, costa fatica, mette a dura prova il nostro egoismo. Ma forse, come l'arte, è la prova più alta, un rapporto disinteressato. Apprezzare un altro essere umano senza possederlo. Ancora una volta devo contraddire suo padre."

Si volta e mi guarda.

"Io e lei non potremo mai essere amiche."

Sono senza parole, neanche ho il fiato di chiederle il perché.

"Glielo dico subito perché. Lo sa come mi sento, in questo letto, di fronte a lei, con il registratore che gira e sembra srotolarmi le viscere? Come una a cui stanno succhiando il sangue. Stanno, lei mi sta succhiando il sangue."

"Non esageriamo," le dico sorridendo.

"Lei non esageri, io esagero se voglio, sono un temperamento insofferente, eccessivo, ormai lo avrà capito. Ho costruito la mia vita in questo modo, non ho ascoltato mio padre, come invece ha fatto lei. Sono diventata una scultrice contro il suo giudizio, ho fatto a meno del suo amore. Per cui esagero, se mi va, soprattutto ora che sono malata. Lei mi sta succhiando la carne più della malattia. Se Malù fosse viva, mi proteggerebbe anche da lei, mi porterebbe a morire in un posto con il mare e non mi chiederebbe di raccontare, sarebbe lei a intrattenermi per non farmi pensare alla morte. Con l'acetone mi toglierebbe dalle unghie lo smalto vecchio, non è bello lasciarsi andare, soprattutto qui."

"Anch'io la penso allo stesso modo."

"Sì, lo so, si è messa una bella giacca rossa. Abbiamo parecchie cose in comune, l'ha detto anche lei prima, quando abbiamo discusso. Ci sono molti punti di contatto tra le nostre vite, è naturale, ma amiche non potremo esserlo mai. Malù è stata la persona che ho amato di più. Anche più di Giorgio. Eppure a un certo punto ho cercato di disfarmene, di sistemarla, cominciavo a trovarla patetica. Non era capace di trovarsi un'occupazione, ciondolava in casa, era volubile. Quando Carlo l'argentino entrò nel nostro appartamento, mi sembrò la soluzione giusta al momento giusto."

"Carlo divide una stanza con un altro musicista, non è ricco, sarebbe troppo bello. Ha una famiglia nel quartiere Palermo di Buenos Aires. Lo hanno mandato a Roma a studiare con i risparmi del padre italiano emigrato in Argentina, si aspettano grandi cose da lui. Per questo nel ristorante non dà retta a nessuno, legge e non mangia mai carne. Deve sbrigarsi a finire la specializzazione, tornare in Argentina e trovare orchestre da dirigere. Dopo che Malù lo ha costretto ad alzare gli occhi su di lei, non può resistere alla sua bellezza. In poche settimane diventano amanti, a lei succede così. Fanno l'amore nel mio letto, le occasioni non mancano, mi piace uscire la sera e cedo loro la casa volentieri.

"Carlo arriva il pomeriggio, dopo i corsi, si mette in un angolo a leggere, sento che alza spesso gli occhi e mi osserva lavorare. Malù sa che ho bisogno di silenzio, così fino alla sera nessuno dei tre parla. Ho una capacità di concentrazione inaudita, la presenza di Malù non mi ha mai infastidito. Vorrebbe interrompermi, è già accaduto, ma la mia reazione è stata sufficiente a bloccare per sempre altre intrusioni. Fino a che i raggi del sole, gli ultimi della giornata, non entreranno dalla finestra, non voglio parole.

"La presenza silenziosa di Carlo invece mi disturba, anche se non lo faccio vedere. Sono sicura che lui non se n'è accorto.

"Diventa sera, ci prepariamo un aperitivo. Il padre di Carlo ha un locale a Buenos Aires e lui prepara dei Martini perfetti, parliamo, ci conosciamo in quell'ora prima di separarci. Parliamo noi due, Malù ci ascolta.

"'Siete due artisti e vi somigliate.'

"Questo è il nuovo segreto tra me e lei: Carlo non lascerà mai la fidanzata argentina, non porterà Malù con sé nel paese del padre. Non è l'uomo del suo destino. Lo so, ma non le dico nulla, non la metto in guardia. Ogni giorno che passa lo sguardo del musicista mentre lavoro è più insistente, la chiacchierata al tramonto più lunga e animata. Quando esco, i suoi occhi penetranti mi seguono finché non chiudo la porta. Scendo le scale incontro alla serata con il suo desiderio che m'insegue. Corro giù per le scale, stranamente felice, mi pare di non lasciarli soli. Saranno costretti a pensarmi. Lui le parlerà di me, le chiederà. Il mio corpo rimane nel letto che ho messo a disposizione del loro amore. Esco e, a tratti, mi attraversa l'idea di essere tra loro. Sono l'oggetto del desiderio di lui, ma generosamente lo cedo a Malù. Non lo sanno ma è con me che fanno l'amore, entrambi.

"Sono divisa: vorrei che lui fosse quello giusto, che la portasse con sé, e allo stesso tempo dimostrarle che ha avuto torto e la sua fantasia d'amore è destinata a non realizzarsi. So che ora Carlo sceglierebbe me, almeno finché è a Roma a studiare. Poi ci lascerebbe per la fidanzata argentina, la figlia degli amici del padre. Ma se lo dicessi a Malù, non mi crederebbe. Dovrei metterla davanti a un fatto, mi dico per giustificare l'idea che mi cammina dentro di cedergli.

"In più Carlo mi attrae, è interessato alla musica, alla sua carriera. Non scambierebbe un'occasione di lavoro per un incontro d'amore. Ci somigliamo, è vero. La distanza che mette tra sé e il mondo mi fa sognare. Mi eccitano la durezza e l'ostinazione con cui cerca il successo. Siamo attratti dalle stesse cose: la libertà, la riuscita. A tratti mi fermano gli occhi di Malù posati su di lui. In ogni caso ripartirà senza di lei, mi accontento di questa verità, mi convinco di agire in nome della verità. Non c'è peggior menzogna. Così l'amore si rompe in mille pezzi, come il mio vaso, l'amore sognato che è l'unico reale.

"Sono rientrata a notte fonda, ho trovato i cocci del vaso accanto al letto. Malù dormiva, Carlo se n'era andato.

"Da una settimana, la mattina, facciamo l'amore nella sua stanza, un budello lungo, stretto, giusto lo spazio del letto, solo quello ci serve. Non ci siamo detti una parola, avevamo parlato tanto bevendo Martini sotto lo sguardo di Malù. Un giorno sono andata a prenderlo al conservatorio, Malù posava all'accademia.

"Mi è piaciuto fare l'amore con l'uomo della mia amica, in ogni caso non l'avrebbe portata con sé. Mi è sembrato di amare anche Malù. Così è la vita e quando l'avrà capito anche lei, sarà più attrezzata a viverla. Si troverà un lavoro, un marito, se proprio vuole, farà dei figli.

"Lavoro così bene in quella settimana, mi sento leggera, l'amore con Carlo è scientifico. Ci spogliamo subito e ci guardiamo senza toccarci, una prova di forza: chi tocca l'altro per primo deve subire le sue volontà. Un giorno comando io, gli chiedo di farlo come se fossi lei. Lui sorride, non si scandalizza, lo fa da innamorato. Mi sussurra all'orecchio parole d'amore, mi bacia sul collo, le nostre bocche sono incollate e ci guardiamo negli occhi fino all'ultimo.

"Per strada, tornando a casa, rivedo me e lui imitare l'amore, io che mi eccito ai gesti che hanno fatto innamorare Malù, la mia grande amica. Mi chiedo come farò a uscire da questa situazione senza perderla. Non ho ancora voglia di troncare con Carlo, ma succederà. Anche con Malù, la convivenza, l'amicizia stretta, dovevano finire. Il senso di colpa svanisce.

"Meglio dirglielo, non deve sapere da Carlo né da altri. E se lo avesse capito? Forse qualcuno le ha detto di averci visto camminare insieme da via dei Greci fino alla stanza di Carlo. Affretto il passo, corro verso casa senza rendermene conto.

"Le esistenze qualche volta somigliano a partiture musicali, hanno un ritmo e dei tempi che ricorrono simili. Io agisco impetuosamente, poi mi fermo e il pensiero raggiunge con difficoltà il fatto già compiuto che di nuovo si svolge davanti ai miei occhi, prende un altro significato, mi sconvolge. Allora cambio andatura, corro per riparare, in genere verso una stanza dove qualcuno sta dormendo. Il sonno di Malù accanto ai cocci del vaso, quello di Giorgio nello studio la mattina della sua morte, la mia consapevolezza tardiva, mi hanno fatto riflettere e soffrire. Una sofferenza che non riscatta niente. Bisogna tenersi il dolore, viverci insieme, ma impedirgli di spegnere la vita. Se la vita si spegne, si spegne anche il dolore.

"Ancora oggi risento il dolore della separazione da Malù. Non è stato oscurato dalla sua morte, dalla nostra riappacificazione. È lì tutto intero, duro, impossibile da sciogliere, ho voluto conservarlo. Mi sembra di avere conservato lei, la nostra vita, prima della sera in cui rientrando a casa ho visto il vaso rotto accanto al letto, e lei dormiva."

"Non ha mai pensato a quante persone ci dormono intorno?"

"Intende dire le persone morte?"

Antonia allunga la mano verso il registratore appoggiato sul letto.

"Si è dimenticata di riaccenderlo..."

"Non credo che dimenticherò una sola parola di questo incontro. Quello che avrò dimenticato, vuol dire che non doveva essere nel libro."

Sorride, lascia ricadere la mano sul lenzuolo accanto al registratore spento.

"Sì, le persone morte, ma anche le statue, le figure nei quadri, quelle dei libri, le voci registrate, le fotografie. Penso a gente addormentata, è consolante averli accanto, anche se sono meno appassionanti di quelli svegli, aveva ragione Malù. Gli addormentati mi stanno intorno più di prima da quando sono qui, tra loro ci sono anche i miei pezzi, le mie sculture. Soprattutto le bambine di terracotta, lei le conosce, vero?"

"Sì, ho pensato che quel gesto enigmatico delle mani fosse legato alla bambina che giocava nel vialetto davanti allo studio, la mattina della morte di Giorgio."

"Un'osservazione acuta, ma non vera. Sa molto di me, anch'io parecchie cose di lei, e l'aiuto più di quanto non creda lasciandole scrivere la mia vita. No, non c'entra la bambina della scuola, era bella, saltellava e mi guardava senza paura. No, quel gesto non viene da lì."

Antonia è immobile, le mani distese lungo i fianchi, gli occhi piantati nei miei, come Giuseppe quando ascolta una storia prima di addormentarsi. Riprende a raccontare, m'immergo nelle pupille spalancate, navigo sotto la sua pelle, nel silenzio scandito dal battito del cuore.

"A vent'anni credevo di essere libera, di poter decidere della mia vita come volevo. Libera di fare scelte senza conseguenze, tutto si può sanare col tempo. Nulla è irreparabile, fino alla separazione da Malù, da lì comincia la mia vita adulta e ci ho messo altri trent'anni per riprendermi la libertà che credevo di possedere a venti. Il rapporto tra la leggerezza di un'azione e il peso delle conseguenze non si conosce da giovani. Né quanto sia vendicativa la vita. Mi piaceva Carlo il musicista, l'ho poi incontrato molti anni dopo, Malù era già morta. Ma se avessi saputo che la nostra amicizia si sarebbe rotta per sempre, non avrei provocato il suo desiderio. Quando si ragiona sulle conseguenze, è la fine della giovinezza."

"Entro in casa, c'è silenzio, come nello studio. Malù dorme, accanto al letto, sul pavimento, il vaso rotto. Dorme rannicchiata, il viso nascosto dalle braccia piegate intorno alla testa. Entrando mi è sembrato che stesse piangendo, ma il respiro regolare è quello di una donna addormentata. Porta una strana camicia da notte, non gliel'ho mai vista addosso. È bianca, di merletto, sembra la camicia da notte di una giovane sposa..."

"Perché mi guarda con quell'espressione di paura?"
Abbasso lo sguardo sui piedi di ferro del letto. Una camicia da notte di merletto, da giovane sposa. Coincidenze. La vita, ancora più della letteratura, è piena di camicie che volano da una donna all'altra; camicie, tappeti, profumi, sapori si spostano di qua e di là.
"Niente," rispondo senza guardarla, "una coincidenza. Teresa aveva una camicia da notte simile, o almeno io ho immaginato che l'avesse. Si fanno molte fantasie sulle madri assenti."
Prima di continuare, Antonia si asciuga la bocca col fazzoletto, forse per nascondere un sorriso. Lo stesso gesto di uno dei primi incontri.
"Sulle madri assenti e sulle camicie da notte. Ogni donna ne ha avuta una così: bianca, di merletto, lunga e scomoda. Si tira fuori del cassetto, dalla carta velina in cui è avvolta, s'indossa quando si deve nascondere qualcosa."

"Non credo che la madre di Malù avesse preparato un corredo per la figlia, aveva già rinunciato all'idea di vederla sposata. Quella camicia l'aveva comprata Malù, nei giorni precedenti, per piacere a Carlo, doveva dirgli qualcosa, ave-

va paura di sbagliare le parole. La camicia da notte preparava il terreno, introduceva l'argomento. Così almeno ho immaginato.

"Malù dorme profondamente. Raccolgo i cocci del vaso,
mi spoglio in bagno, faccio rumore, lei non cambia posizione. Respira regolarmente, mi sono avvicinata al mio letto.
Decido di dormire nel suo, di non svegliarla. M'infilo sotto
le coperte. Gli odori del suo corpo, dei capelli sul cuscino mi
tengono sveglia. Non ho più ricordi di Carlo, mi pare che
non sia mai accaduto nulla tra noi, forse è stata una fantasia
anche quella. Come avrei potuto fare una cosa del genere? A
quale scopo? A poco a poco sento arrivare il sonno, chiudo
gli occhi. I nostri due respiri identici. Apro gli occhi. E se
non dormisse? Se fosse rimasta immobile per ingannarmi?
Le braccia incrociate davanti al viso per nasconderlo.

"'Malù...' la chiamo piano.

"La sua voce m'inchioda alla verità.

"'Perché l'hai fatto? Perché vuoi che mi accontenti del
silenzio?'

"Vorrei alzarmi, accendere la luce, ma non ho il coraggio
di guardarla. È la prima volta dall'infanzia che ho una paura
così violenta.

"'Cosa è successo?' ho l'impudenza di chiedere per ac-
certarmi che sappia, come tutti i traditori.

"'Aspetto un bambino, dovevo dirglielo, sapere se sarem-
mo partiti insieme. L'unico sistema per convincermi che non
ne aveva intenzione era dirmi di voi.'

"Il cuore mi martella nel petto con una forza tale che
penso di morire. Non mi esce la voce, ogni parte del corpo è
gelata.

"'Perché vuoi che mi accontenti del silenzio?' mi chiede
di nuovo.

"È irreale l'immobilità dei nostri corpi nel buio della
stanza.

"'Il silenzio?' domando infine senza voce.

"'Quando lavori non ti accorgi del tempo, di nessuno, hai tanta gente nella testa, nelle mani. E io? Se non ho l'amore, ho il silenzio. Vuoi questo per me?'

"Piangevo, lacrime gelate come il mio corpo. Per questo scolpivo, ora mi era chiaro l'arco della mia vita futura. Con Carlo avevamo imitato l'amore perché né io né lui eravamo in grado di provarlo. La mia capacità di amare era finita con l'infanzia. Anche allora piangevo come in quel momento, ascoltavo la voce allegra di mia madre dalla stanza dei fratelli. Chi non ha l'amore, spera che gli altri ne siano privati, dev'essere una parola vuota. L'avevo tradita per questo.

"'Non ti avrebbe portato con sé,' le dico perché non sono capace di confessarle che ha ragione, che l'ho tradita per ridurla al silenzio, per non sentire quando lavoro la sua voce allegra canticchiare piano, mentre gli ultimi raggi di sole iniziano a entrare dalla finestra.

"Si alza dal letto. Figura bianca, la camicia da notte sfiora il pavimento come lo strascico di un abito da sposa. Va in bagno, non fa rumore. Non posso muovermi. Qualsiasi iniziativa prenderà, l'accetterò. Esce dal bagno, infila il cappotto, va via senza portarsi nulla. Mi lascia sola con i suoi vestiti, i ricordi dei viaggi, le fotografie, i profumi, i trucchi. Sulla vasca da bagno c'è un flacone riempito d'acqua saponata, con un buco al centro e una cannuccia rossa. Qualche volta la prende e ci soffia dentro, mentre aspetta che le si asciughino i capelli davanti alla finestra. Gli occhi bassi, la mano davanti alla bocca, soffia e raccoglie le bolle con la cannuccia, si diverte a farle durare più a lungo possibile."

"Durare più a lungo possibile," le sue ultime parole sembrano avere un'eco. Ma forse è nella mia mente che risuonano per qualche secondo, dopo che Antonia ha già taciuto e sembra essersi addormentata all'improvviso, stanca del suo racconto, schiacciata dal senso di colpa che la storia di Malù le suscita.

"Durare più a lungo possibile," è quello che ha cercato di fare lei con il suo mestiere, anzi niente mestiere, con la sua arte.

La guardo dormire. Forse devo andare via senza svegliarla o invece ha qualcos'altro da raccontare. Bisogna avere pazienza, aspettare. Senza affrettare le conclusioni, magari perché si è stanchi, si ha voglia di uscire tra i vivi, di lasciare dormire gli addormentati.

Per riuscire a udirla dovrei accostare l'orecchio alle sue labbra. Ora mi accorgo che si muovono incessantemente, come la donna addormentata del romanzo interrotto, quella che dorme nella stanza in fondo al corridoio con la carta da parati verde a righe dorate. Ecco cos'era la stanza! Affaccia sul cortile dove le bambine giocano al gioco dell'elastico, e saltano piano per non svegliarla. Nel cortile ci sono alberi di aranci. Luccicano come lampioni alla luce della luna e si respira odore di aghi di pino bagnati. Le persiane nella stanza della signora sono sempre aperte. Ogni tanto le bambine si affacciano per guardarla dormire. Le sue labbra si muovono incessantemente.

Oggi una di loro ha appoggiato la mano sulla maniglia della portafinestra, ha deciso di entrare. Non vuole continuare a giocare con le altre; il mistero della signora addormentata l'attira più che saltare sugli aghi di pino. Le altre bambine si sono allontanate da lei impaurite, la fissano nascoste dietro la corteccia scura degli alberi. Cosa le succederà? Come farà a uscire, a giocare di nuovo con loro? Forse rimarrà per sempre intrappolata nella stanza. La signora, risvegliata dalla sua presenza, la terrà imprigionata tutta la vita accanto a sé, come la strega cuoca della favola. Non importa, niente vale quel mistero che tra poco le sarà svelato.

La bambina ha i capelli castani legati a coda di cavallo; il viso perfetto; le gambe sottili. Entra in punta di piedi nella camera. C'è odore di chiuso, di polvere e carta, come nello studio del padre, ma i colori della stanza sono vivi. Le mani della signora abbandonate sul lenzuolo sono così bianche che si vedono le vene blu in trasparenza. La bambina nota tracce di smalto rosso sulle unghie. Accanto al letto, un vaso con un ramo di gelsomino fresco non dà odore. In un angolo della stanza c'è un tappeto arrotolato, delle fotografie in bianco e nero sui mobili di legno scuro. Su una parete il dipinto di una costa, un mare. L'aria che è entrata dalla porta smuove solo una piuma bianca sfuggita alla pila di cuscini che sostiene la testa della signora. La bambina chiude bene la finestra, senza fare rumore si avvicina al letto. Non rimpiange nulla dell'esterno, vuole arrivare al letto, alle labbra, agli occhi chiusi. Si china sul viso, trattiene il respiro. Il fiato leggero della signora le solletica l'orecchio.

"Prendimi la mano, non avere paura, non è fredda. Non sono morta, solo addormentata, nessuno vuole avvicinarsi."

La bambina guarda la mano, le tracce di smalto rosso sulle unghie. Piano avvicina la sua fresca e bruna dal sole, fa una carezza leggera su quella bianca della signora, la prende tra le sue. Il palmo è caldo e liscio, alla bambina piace. Si siede sul letto, con la mano della signora tra le sue, ascolta. Ora non è più un sussurro, lei sola può udire la sua voce. Risuona doppia, come portata dall'eco, e rauca. Prima di arrivare alle orecchie della bambina ha attraversato strati di sonno, profondità mute, immobilità dove la vita muore e rinasce in altre vesti.

La nostra casa era in una strada in salita, lunga e buia, ma più in là, oltre il muretto che nascondeva l'orizzonte, nei giorni di cattivo tempo, sbattevano sulle rocce le onde del mare e si allargava all'improvviso il cielo...

La bambina non ha più voglia di muoversi e di saltare. Lei che era la più svelta di tutte, impossibile da tenere ferma un istante, che non amava i libri perché odoravano di polvere e leggeva solo favole. Con lo sguardo segue le labbra della signora e si accorge di conoscere il seguito, ancora prima che lei abbia pronunciato la frase successiva. Allora inizia a muovere le labbra con lei, come quando non sapeva ancora leggere solo con gli occhi. Le loro due voci si fondono in una. Qualche volta, mentre pronuncia le parole che non sa di conoscere, avrebbe voglia di andarsene, uscire dalla stanza per un attimo, sgranchirsi le gambe, ritrovare le amiche. La mano della signora la tiene ferma accanto a sé, la bambina sente che non potrà più lasciarla sola.

Non voglio lasciarla sola in questa clinica. Antonia dorme nel letto bianco, nessun rumore proviene dalle altre camere. Il mondo è fuori da questa stanza che non appartiene a nessuna casa, a nessuna storia; o forse a quella che inizia tutte le altre, dalla fine, andando a ritroso.

Antonia e Chiara sospese in un limbo aspettano la fine del loro ultimo incontro, la fine del silenzio riempito di voci. Non il silenzio di cui parlava Malù.

Cosa sia successo dopo la fuga dall'appartamento, quella notte, ora lo so anche senza chiederglielo. Ora che sono entrata nella stanza della signora e so che la mia storia e quella di Antonia s'incrociano lì, nel luogo di tutti i racconti. Malù e Teresa hanno abitato la stessa città senza conoscersi. Ma nel sussurro della signora addormentata diventano la stessa donna, un solo personaggio.

Tutto si compie allo stesso tempo, nel medesimo posto, in una stanza di qualcuno che dorme.

Malù partorisce una bambina a Napoli, nella casa della madre, dove ormai la sua bellezza non vale più nulla. Mette la bambina a dormire nel suo letto, finché è piccola non si sente sola. L'allatta a lungo per non separarsene, quasi intuisse che dopo non sarà più capace di vivere per lei. Un giorno di primavera, il mare è increspato dal vento già caldo. Malù ha preparato la valigia, la bambina dorme nella sua stanza. Un'auto l'aspetta davanti al portone.

"È l'uomo della mia vita," sussurra Malù alla bambina addormentata, "appena avrò una casa, tornerò a prenderti, starai con noi. Perdonami."

Malù e Teresa vanno perdonate, l'amore è più importante dei figli. Perdono anche mia nonna e mio padre, ammalati di freddezza, perché mi hanno dato ordine e metodo.

"Io non voglio essere assolta da lei."

Ha aperto gli occhi e mi fissa con la stessa espressione di disgusto del nostro primo incontro.

"Non provi un finale buono con me. Nella mia vita ho fatto tutto quello che volevo. Ho raggiunto il successo anche grazie al mio carattere, non voglio rinnegarlo in punto di morte. Convertirmi alla bontà. Sono stata passionale, ma dura. Non sono buona come lei e non ci tengo."

"Però ha accudito Malù fino alla morte, nell'albergo di Positano. E le ha mandato anche un assegno a Napoli, ogni mese, quando la figlia ormai grande non voleva incontrarla."

"Glielo ha detto Davide?"

Rido, è la prima volta che succede in sua presenza. Mi sono liberata del peso di interrogarmi su di lei, di capire i nessi della sua vicenda, di tormentarmi per afferrare i lati della sua personalità.

"Non ho bisogno delle confessioni di un attore! So anche la fine che ha fatto Malù dopo la fuga dall'appartamento. Lo so perché ora lei, Antonia, mi è familiare più di mio marito, più dei miei figli, più di mio padre e delle fantasie infantili su mia madre. In questo momento darei via ogni piacere della vita, le cose che ho fuori di qui, per riuscire a scrivere di lei. La vita non è nulla in confronto a questo!"

Sorride anche lei, stanca.

"E non ci sarà modo di fermarla, anch'io la conosco. Ora mi dia la mano e se ne vada, ho sonno."

14.

Ho dato il cambio a Luca accanto al letto di Giovanni. La febbre è alta e non va giù con le medicine. Una forma virale molto violenta, ha detto il pediatra, niente di grave. Importante è tenere sotto controllo la febbre. Per questo abbiamo deciso di alternarci.

Ci siamo baciati davanti alla camera dei bambini. Era caldo di sonno anche lui. È stanco, a giorni deve consegnare il suo libro sulla società mercato e continua a scrivere e a limare. Forse non avrei dovuto chiedergli di stare sveglio fino a tardi. Ma ero stremata, non avrei potuto affrontare un'altra notte insonne.

Ci siamo baciati, lui mi ha infilato la mano sotto la camicia da notte e mi ha stretto il seno. Non abbiamo potuto resistere al desiderio. Abbiamo fatto l'amore con la porta aperta e la paura che comparisse sulla soglia uno dei bambini; un amore veloce, dopo si è addormentato di colpo. Con rimpianto ho lasciato il suo corpo; mi piace essere sveglia accanto a lui, posso accarezzarlo senza che se ne accorga. In quegli attimi sono io che ho l'iniziativa.

Mi infilo nel letto di Giovanni che sbuffa e si volta verso il muro infastidito. È più fresco, forse potrei lasciarlo e andare a dormire nel mio letto. Sono giorni che non faccio altro che stare con lui, gli preparo da mangiare, giochiamo insieme, gli leggo, come quando era piccolo. Lui si adagia con piacere nella malattia che mi costringe a suo servizio. Ho smesso di scrivere.

La prima notte che è stato male, quando l'abbiamo portato in ospedale perché la febbre non scendeva, ho giurato, come sempre, che se non fosse stato niente di grave, non avrei scritto più nella mia vita, avrei fatto solo la madre e la moglie, mi sarei cercata un mestiere senza nessuna pretesa. Ora che sta meglio, mi chiedo come posso essere così superstiziosa, nel ventunesimo secolo. Eppure in quei momenti, mi sembra matematico. Loro hanno bisogno di me, io penso ad altro, loro si ammalano. La verità è che scrivere di Antonia mi fa dimenticare tutto, e loro mi puniscono. In ogni caso devo smettere di giurare il falso.

Riaprire i cassetti della mente in cui ho rinchiuso Antonia e gli altri personaggi ora mi pare così difficile. Non l'ho più rivista. So da Davide che non è tornata a casa, forse non ci tornerà più. Le danno sedativi e dorme per tutta la giornata. Non ho potuto annunciarle che ho deciso di scrivere il mio primo romanzo, ispirato alla sua vita. Ho parlato con l'editore e con Davide. Sono d'accordo, ma dovrò sottoporre loro il testo finito. Durante un risveglio, Antonia ha parlato con Davide del libro.

"Lasciala scrivere di me liberamente, che faccia un bel picnic sulla mia tomba, con il marito, i bambini, i suoi morti e i miei. Incroci pure i nomi sulle lapidi. Mi è indifferente se Malù si chiama Teresa, se Giorgio fa il giardiniere, se mio padre sta su una sedia a rotelle e Antonia ha una figlia di nome Chiara. Conosco gli artisti, meglio tenerseli buoni, possono fare a pezzi la tua vita, una gamba di qua, una mano di là. Se deve fare i conti con l'ispirazione, almeno non mentirà. Dopotutto sono io che l'ho cercata, ne pago le conseguenze."

Nessuno sa quanto potrà vivere ancora, quanto durerà il sonno indotto dai sedativi. Nessuno tranne me.

Mi alzo piano dal letto, tocco un'altra volta la fronte di Giovanni, parla nel sonno, è fresco.

Vado in salotto e accendo il computer. Aspetto che si metta in moto, guardo il cielo. È ancora nero, ma si schiarirà velocemente, sono le quattro, ho tre ore di silenzio. Mi sembrano un'eternità.

Cerco nel computer il file *Matrioška*. È sparito. Col cuore in gola apro tutte le cartelle, quelle di Luca, dei bambini, dei miei altri lavori. Mi dimentico sempre di fare una copia, come se sfidassi il destino. Alla fine lo trovo in una cartella che Giovanni ha intitolato *se aprite morirete*. Domani, se non ha più la febbre, lo punisco.

Rileggo l'ultima pagina, scritta due settimane fa.

Dopo la morte della scultrice, lo studio è rimasto chiuso per anni. Antonia non ha parenti, io sono la sua unica erede. La vegetazione scura della Villa Strohl-Fern ha avviluppato la casetta rossa, ne nasconde quasi interamente i muri. Rampicanti selvatici sbarrano le finestre e la porta. I bambini della scuola francese si sono divertiti a gettare scatole di merendine e matite nel giardino della strega, così la chiamano. Un gruppo di ragazzine mi osserva mentre spingo la porta gonfiata dall'umidità. Si sono nascoste dietro gli alberi e mi fissano piene di curiosità. Foglie secche, terra, penne di uccelli mi cadono in testa. Le bambine ridono e scappano via.

Sono solo la figlia di una sua amica di gioventù, non l'ho conosciuta, abito in Argentina ormai da anni, eppure sono la prima a entrare nel luogo dove ha scolpito le sue opere. Non so perché abbia voluto così. Quando mi è arrivata la notizia dell'eredità, sono andata alla biblioteca del paese in cui vivo con mio marito e i miei due figli maschi per documentarmi. Non ho trovato nessuna pubblicazione. In seguito, il notaio mi ha spedito un catalogo delle sue opere, è stato lui a lasciarmi le chiavi dello studio dal portiere della villa.

Nella stanza al pianterreno non ci sono mobili, solo tavoli da lavoro coperti da teli. Ne scosto uno, sul tavolo è allineata una fila di strumenti modellati dalla polvere. Spingo con forza una persiana per far entrare la luce, chiudo la porta. Le grida dei bambini della scuola si allontanano. Ora mi accorgo del silenzio che c'è nella stanza. Mi viene da piangere, non so perché. Non ho nessun legame con questo posto, con la donna che ci abitava. Su una mensola vedo una fotografia in bianco e nero, accartocciata su se stessa. La prendo e la stendo con le mani, mi avvicino alla finestra. È una ragazza vestita anni cinquanta, si sta chiudendo un orecchino davanti allo specchio, è mia madre.

Rileggo, correggo, aggiungo, tolgo. Aspetto, sto per sentire la sua voce. Arriverà presto all'appuntamento. Quando la trascuro, si vendica facendomi aspettare. La conosco, è dispettosa, ma sa che la sua vita dipende da me, è nelle mie mani e non la lascerò morire in quella clinica senza odori.

Silenzio, eccola.

Spalanca la porta, entra con il cane, senza fiato tutti e due. Hanno corso, sono giovani, pieni di energia. Si toglie il cappotto rosso, lo appende, no, lo getta su una sedia, mette su il caffè, guarda fuori dalla finestra, con una mano allontana una ciocca di capelli dal viso, si volta verso di me, sorride.

Stampa Grafica Sipiel
Milano, aprile 2004